HECHA EN MÉXICO

HECHA EN MÉXICO

XX AÑOS
DE MODA MEXICANA
Y LA CREACIÓN
DE UNA INDUSTRIA
COLECTIVA

DANIEL Herranz
PAOLA Palazón Seguel

 Planeta

Diseño de portada: Heriberto Guerrero / Hg Estudio
Fotografía de los autores: © Alejandro de María
Diseño de interiores: Heriberto Guerrero (Hg Estudio)
Cuidado Editorial: Natalia Silva

© 2020, Editorial Planeta Mexicana, S.A. de C.V.
Bajo el sello editorial PLANETA M.R.
Avenida Presidente Masarik núm. 111,
Piso 2, Polanco V Sección, Miguel Hidalgo
C.P. 11560, Ciudad de México
www.planetadelibros.com.mx

Primera edición en formato epub: marzo de 2020
ISBN: 978-607-07-6277-2

Primera edición impresa en México: marzo de 2020
ISBN: 978-607-07-6278-9

Impreso en los talleres de Litográfica Ingramex, S.A. de C.V.
Centeno núm. 162-1, colonia Granjas Esmeralda, Ciudad de México
Impreso y hecho en México – *Printed and made in Mexico*

a TODAS Y TODOS *quienes* DÍA CON día
CONSTRUYEN LA MODA MEXICANA

A LAS y LOS QUE iNTEGRAN
este COLECTiVO

Foto: de Izack Morales, cortesía del fotógrafo.

Una nota de los autores

Seguro ya lo has leído y escuchado antes, pero la moda, más allá del estigma de superficialidad del que ha estado rodeada, carga consigo un mensaje social, cultural, histórico y antropológico muy poderoso.

La vestimenta no solo cumple con un objetivo funcional (cubrir nuestro cuerpo y ser nuestra segunda, tercera y hasta cuarta piel), también habla de quiénes somos como sociedad y como individuos. Eso es lo que nos ha atraído de ella: su capacidad de describirnos, de hacernos hablar sin decir una sola palabra, de permitirnos contarle al mundo quiénes somos y qué pensamos.

Cuando empezamos a idear Colectivo Diseño Mexicano (CDM), a buscar las palabras que pudiesen nombrar y expresar lo que queríamos hacer, y a identificar nuestras propias motivaciones, coincidimos en una idea: nuestra prioridad debía ser impulsar la industria en torno a la moda mexicana, para lo cual era necesario trabajar en conjunto con todos los actores involucrados en el proceso de moda (diseñadores, fotógrafos, estilistas, publicaciones, proyectos y más) en pro de la venta y el uso del diseño nacional. La idea siempre ha sido conformar un bloque, exactamente como un colectivo.

CDM comenzó como una venta en formato *pop-up store* itinerante que buscaba incentivar la compra del diseño nacional; luego se convirtió en una plataforma de difusión que se sumó al calendario nacional de la moda con dos pasarelas al año, las cuales tendrían lugar en el Mercedes-Benz Fashion Week Mexico City. Sin embargo, quisimos llevarlo más allá. Nuestro sueño de industria, de vestir a la gente no solamente en los desfiles, sino también en las calles, se vio materializado en la colección otoño-invierno 2019. Esta fue lanzada gracias a una alianza con el gigante Amazon: el público podía adquirir en línea cada pieza, desde el instante en que fuese mostrada en la pasarela, a través de una tienda especial que Amazon creó para CDM. Este hito representó la posibilidad salir de los reflectores para llegar a las manos del consumidor de manera casi inmediata.

Pero queríamos todavía más. Quisimos contar la historia de lo que, consideramos, ha sido un nuevo momento en el mundo de la moda mexicana, desde 1999 hasta 2019 y que a partir de ahora, cobrará aún más relevancia. Una historia que aún continúa escribiéndose, pero que, hasta el día de hoy, prácticamente no se había contado.

Además de realizar un recuento histórico de la moda mexicana durante los últimos 20 años, este libro pretende visibilizar a aquellos actores que nadie ve, que están detrás de esta nueva industria. Aquí encontrarás no solo marcas y diseñadores, sino también modelos, agencias, estilistas, productores, fotógrafos, maquillistas y, por supuesto, proyectos que han impulsado al diseño hecho en casa.

Con este proyecto, CDM deja de ser solamente una plataforma para convertirse en un laboratorio que tendrá la finalidad de buscar las respuestas sobre diversas interrogantes en torno a la moda mexicana, además de explorar otros formatos y trabajar desde otros espacios: lo que en un inicio fue una *pop-up store* hoy es un libro, pero más adelante puede convertirse en una exposición, cine, charlas sobre moda o cualquier medio a través del cual podamos difundir el trabajo local.

La moda es tu narrativa personal.

Esperamos que disfrutes este libro, que te haga pensar, que te haga cuestionar, que te entusiasme, que te sorprenda y que te dé una visión de la moda nacional que antes no tenías; pero, sobre todo, esperamos que cuando termines de leer estas páginas te quedes con las ganas de contar una historia y un discurso diferente de ti mismo a través del diseño mexicano.

Daniel y Paola
Fundadores de Colectivo Diseño Mexicano
#IndustriaColectiva

Foto: de Alexander Neumann, cortesía Maison Manila.

INDUSTRIA COLECTIVA

20 AÑOS DE MODA MEXICANA

En 20 años, la industria de la moda mexicana
pasó del reflector local al global, de no tener oferta
académica a contar con varias opciones para
cursar la licenciatura de Diseño de Moda.
En 20 años, la industria tomó conciencia
de que el resultado de todos es mejor
que el resultado de uno.

Foto: de Alejandro de María, cortesía Fashion Week México.

Durante los últimos años hemos visto crecer proyectos y hemos visto a otros desvanecerse, pero lo más interesante ha sido ser testigos de una efervescencia creativa en la moda mexicana, de la búsqueda mucho más centrada y con fundamentos más sólidos de una identidad, de un discurso propio y de un trabajo colectivo. La única forma de generar industria —desde nuestra perspectiva— es precisamente esa: trabajar de la mano, todos los actores involucrados en el proceso, para conseguir como resultado un impulso mayor, respaldado por el esfuerzo de varios y no de uno solo. *A eso nos referimos cuando hablamos de industria colectiva.* Y, aunque estamos convencidos de que ese proceso sigue en evolución, nos parece que ya se han sentado las bases para empezar a forjar la idea de estar frente a una nueva etapa de la moda mexicana, que arranca a finales de la década de los noventa y se extiende hasta nuestros días.

¿Qué define que las últimas dos décadas sean consideradas como una nueva etapa en la moda local? Posiblemente, la profesionalización de la industria con la apertura y creación de planes de estudio con carácter universitario, así como la diversificación de esa formación. Posiblemente, la entrada al mercado de nuevos actores, o bien, la presencia del imaginario de una moda mexicana dentro de una escena global.

En este libro no solo tratamos de revisar todo lo que se ha creado bajo la insignia de «moda nacional», sino de ir más profundo, de cuestionarlo, de enfrentarnos a un sinfín de interrogantes relacionadas con el mismo origen y crecimiento de la industria en nuestro país; un proceso que, hasta la fecha, continúa.

Claro está que no podremos contestar todas las preguntas. Esta no es —y no pretendemos que sea— la definición final y tajante de 20 años, durante los cuales han ocurrido muchas cosas y han intervenido muchos personajes. No. Pero sí queremos que sea el punto de partida para una reflexión, un acercamiento y, sobre todo, para la aportación de cada uno a una industria que, de manera colaborativa, puede decir mucho de lo que es México y de su increíble potencial discursivo y creativo.

La moda es un prisma de muchas caras, algunas de las cuales están relacionadas con las superficies y las apariencias, con la imagen que las personas deciden transmitir de sí mismas hacia el exterior mediante su vestimenta. Es precisamente esa cualidad la que hace que, aunque el producto final sea parte de nuestra vida cotidiana, constantemente se cuestione su trascendencia o su formalidad como industria. No obstante, la dimensión de la moda es amplísima: sí, es una forma de expresión con una funcionalidad específica (tapar el cuerpo del frío, del calor o del pudor de la desnudez), pero, más allá de eso, históricamente ha desarrollado un rol discursivo y activista que ha trascendido en todas las épocas. Además, es una industria en forma, que genera empleos y produce ingresos para miles de familias y para el país: hay campo detrás, hay productores textiles, hay maquilas, patronistas, diseñadores, modelos, fotógrafos, estilistas, maquillistas, productores de moda, diseñadores gráficos, promotores. El mundo de la moda es un gran rompecabezas compuesto por muchas piezas.

¿Por qué seleccionamos un periodo de 20 años para hablar sobre moda mexicana? Concretamente en México, entre 1999 y 2019, la moda vivió uno de los despuntes más importantes en su historia: la industria como tal se consolidó un poco más gracias al establecimiento de marcas mejor posicionadas, al crecimiento y proliferación de las agencias de modelos, a la aparición de nuevos medios de comunicación especializados, a la colaboración de fotógrafos y estilistas con las diversas publicaciones, a la expansión de puntos de venta y, como ya mencionamos, a la profesionalización y la aparición de una oferta educativa más amplia para la formación de futuros diseñadores mediante carreras universitarias. A partir de 2020, no cabe duda de que esta evolución seguirá en crescendo.

Foto: *Backstage* de Yakampot, cortesía Fashion Week México.

Foto: *Backstage* de Sánchez-Kane, cortesía de Eugenio Schulz.

Decidimos narrar y documentar, de la manera más clara posible, lo acontecido en la industria de la moda mexicana durante estos 20 años. Es importante aclarar que, hasta ahora, no había un registro formal sobre lo sucedido durante esta época, por lo que, para llegar a este libro, ha sido necesario un arduo trabajo de investigación, así como la realización de entrevistas y revisiones de documentos hemerográficos. El resultado, más que una línea de tiempo, es una historia que ayuda a comprender el camino recorrido en esta gran industria hasta nuestros días, y que honra y visibiliza, además, a los personajes que han impulsado a la moda nacional hacia un nuevo auge.

Siendo fieles al espíritu colaborativo de Colectivo Mexicano de Diseño, decidimos invitar a una serie de editores de moda, escritores y actores relacionados con el mundo del diseño nacional a contribuir con el desarrollo del contenido. Sus conversaciones y ensayos figuran en estas páginas, y aportan a la obra una nueva dimensión que no podríamos haber logrado sin su apoyo.

Hemos dividido el libro en dos partes. La primera está compuesta por tres capítulos. El primer capítulo, «La construcción de una industria», sienta las bases con una línea del tiempo que demarca los acontecimientos más importantes para la industria en los últimos 20 años, y narra tanto el origen como el desarrollo inicial de lo que implicó cimbrar una nueva era para la moda nacional.

El capítulo dos, «Siete días de moda», es un recorrido histórico por los formatos de pasarela colectiva que hemos tenido en México: desde Días de Moda hasta lo que hoy es Mercedes-Benz Fashion Week Mexico City. En el siguiente capítulo, «La nueva industria», exponemos a los nuevos actores dentro del ecosistema de la moda, quienes han ayudado a construir el panorama actual en la industria: bazares, ferias, tiendas, *showrooms* y nuevos medios de comunicación.

Pasamos así a una segunda parte, dedicada a los rostros y nombres que conforman la industria de la moda nacional: modelos, fotógrafos, estilistas y diseñadores. También se incluye un análisis de la moda frente a temas ambientales y culturales, considerando que esta es una de las industrias más contaminantes del planeta y que, además, puede propiciar fenómenos como la apropiación cultural.

Finalmente, incluimos un análisis a modo de conclusión, así como algunos datos curiosos presentados a manera de infografía. Cerramos con dos apéndices: el primero, un breve glosario de términos que utilizamos a lo largo del libro y que te dará un conocimiento más técnico en la materia, y el segundo, un directorio con el cual damos un salto del pasado al presente y reunimos a exponentes de la industria con presencia a lo largo y ancho del país: tiendas que comercializan diseño mexicano, fotógrafas y fotógrafos, estilistas, productores y productoras de moda, agencias de modelos, maquillistas y *hair stylists*. Este directorio, además de ser una herramienta de utilidad para personas de esta y otras industrias —el cine y la publicidad, por ejemplo—, es una invitación a conocer la amplia oferta de la moda nacional, con el objetivo de sumar a nuestros lectores al movimiento y motivarlos a convertirse en consumidores asiduos.

Las siguientes páginas buscan generar conversación, informar, cuestionar y promover la idea de continuar creciendo como colectivo, pero, sobre todo, contigo: la pieza más importante de este engranaje, aquel que consume y difunde el discurso de la moda nacional.

Foto: de Carolina Campobello, cortesía de The Stüdio y COLOüRS.

Foto: de Carolina Campobello, cortesía de The Stüdio y COLOüRS.

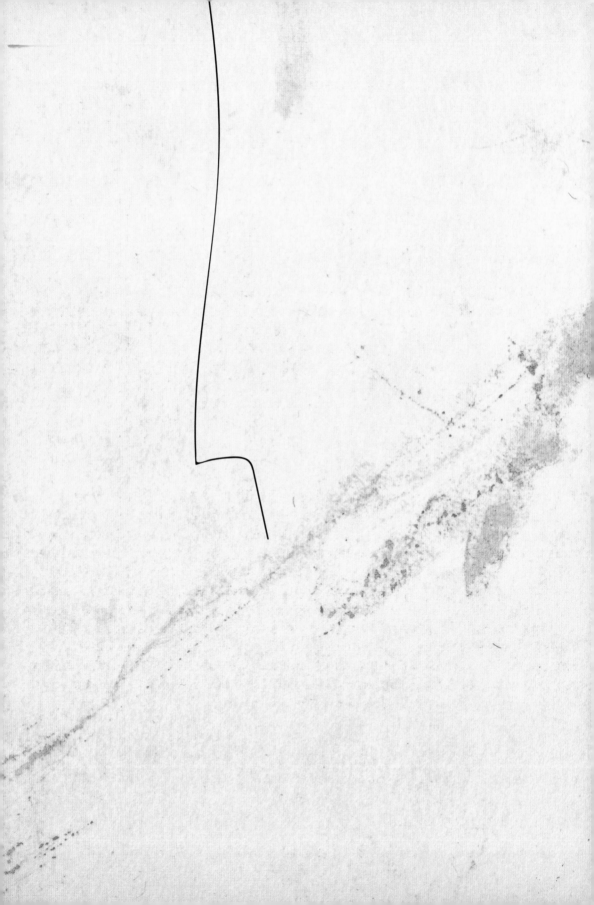

Primera parte

Capítulo Uno

ZURCIDOS INVISIBLES: LA CONSTRUCCIÓN DE UNA INDUSTRIA

La industria de la moda mexicana ha recorrido un largo camino para convertirse en lo que es el día de hoy. Desde antes de 1999, varios sucesos impactaron a este movimiento que recién se encontraba en ascenso. Las dos décadas que siguieron, más que cualquier otro periodo en la historia de México, cambiaron la manera en la que se hace y se consume la moda nacional. También, sentaron las bases de lo que sucederá en esta industria durante los años venideros. ¿Quieres saber cómo empezó todo?

Foto: de Eugenio Schulz, cortesía del fotógrafo.

El inicio de la moda nacional

Imagina la serie de innovaciones, descubrimientos, conflictos y acuerdos que tuvieron que suceder durante el siglo xx para pasar de los primeros autos de motor a los cohetes espaciales que llevaron al hombre a la luna; de los teléfonos de disco a los teléfonos celulares; o incluso, de las primeras mujeres buscando el voto a las primeras mandatarias en diversos países. Ejemplos hay muchos, pero una manera sencilla de identificar esta evolución es a través de la moda. Cada década de aquel siglo tiene un estilo distinto, el cual refleja el estilo en aquellos periodos: desde la opresión del corsé, la inclinación militar de la ropa en la década de los treinta, el cambio de las medias de seda a las de nailon, las escandalosas minifaldas, la psicodelia y el glamour de los años setenta y ochenta, hasta la inclinación deportiva de finales del siglo. La moda siempre ha sido un reporte del clima sociológico de su época.

En México también se vivió esta evolución a través de la moda; sin embargo, siendo la industria textil uno de los sectores más importantes para la economía mexicana, vale la pena mirar su evolución en este ámbito. A principios de 1900, la industria de la moda nacional vivía un momento sólido gracias a la gran inversión extranjera que el Porfiriato trajo a la producción industrial y, en especial, a la textil. Países como Francia invirtieron hasta 70 millones de pesos durante la primera década del siglo, cuando se registraban hasta 123 fábricas textiles en el país,[1] una cifra sin precedentes. Sin embargo, este crecimiento se contrajo con la llegada de la Revolución, pues las complicaciones de comunicación ferroviaria y la disminución de los servicios eléctricos afectaron gravemente la productividad de las fábricas textiles.

No obstante, al término de la Revolución, la industria textil se expandió nuevamente gracias al incremento en la demanda interna. Más clientes potenciales implicaban mayor producción, por lo que se empezó a importar maquinaria, materias primas, colorantes y materiales químicos para la producción y manipulación textil. Esta expansión estuvo acompañada por una creciente bonanza en la producción de algodón en el país, pues se reactivó su cultivo en distintos estados, principalmente en los del

---

1   Arroyo López, María del Pilar Ester y Cárcamo Solís, María de Lourdes, «La evolución histórica e importancia económica del sector textil y del vestido en México» en *Economía y Sociedad*, México, Universidad Michoacana de San Nicolás de Hidalgo, XIV, enero-junio de 2010. Págs. 51-68. [En línea] <http://www.redalyc.org/articulo.oa?id=51015546004>

norte, gracias a la facilidad de distribución que otorgaba la reapertura de las líneas ferroviarias y el comienzo de nuevas rutas.

Así empezó el papel de México como país exportador: en 1925 se producían 44 000 toneladas de algodón y para 1940 la cifra subió a 70 000.[2] Para 1970, la inversión pública del gobierno provocó que disminuyeran los costos de producción en la industria, de modo que para el inicio de la década de los ochenta se registraron casi 2 500 empresas textiles consolidadas en México. Sin embargo, con la llegada de los noventa, la industria de la moda nacional comenzó a padecer los daños colaterales de un acuerdo que, en un principio, venía disfrazado de cuerno de la abundancia.

El TLC: una muerte anunciada

En 1992, Estados Unidos, México y Canadá firmaron el Tratado de Libre Comercio de América del Norte (TLC), un acuerdo que entró en vigor el primer día de enero de 1994. Esta alianza tenía como objetivo aumentar la competitividad comercial de los tres países. Con este fin, se eliminaban las tarifas de exportación e inversión para vincular el comercio en América del Norte y reducir la brecha económica entre estas naciones. Parecía que el nuevo acuerdo beneficiaría a todos los actores implicados: traía consigo la promesa de trabajos nuevos y mejor pagados, mayores fuentes de inversión y mucho más. Sin embargo, la llegada de productos de Estados Unidos y Canadá a México con aranceles especiales implicó el fin del proteccionismo que habían gozado los productos nacionales en la década de 1980 y parte de 1990, cuando los impuestos que tenían los productos importados los encarecían y, de esa manera, favorecían la compra de los productos nacionales, al no tener ningún costo agregado. Al gozar de aranceles especiales, los productos importados representaron entonces una mayor competencia, mientras que los productos mexicanos perdieron la ventaja de la que gozaban. Como consecuencia, vino el ocaso de marcas mexicanas de distribución en masa, como Topeka, Aca Joe o Panam, mismas que, en su momento, fueron referentes de la cultura visual de su época y poseían un cariño especial por parte de su clientela, el cual, al día de hoy, no han podido recuperar.

---

2 En 2018, la producción de algodón en México alcanzó el millón de toneladas, de acuerdo con la Secretaría de Agricultura y Desarrollo Rural (SAGARPA).

El TLC suponía un incremento en los empleos mexicanos; no obstante, tuvo el efecto contrario: el cierre gradual de maquilas y centros de producción textil fue inevitable debido a la baja en la demanda de su producto y a la obsolescencia, pues no podían competir ni en precio ni en volumen con los productos extranjeros, sobre todo los provenientes de China. Aunque el TLC fue un acuerdo que implicaba únicamente a los tres países del norte de América, esto no impidió la llegada de productos fabricados en Asia que, desde Estados Unidos, pasaron a nuestro país con precios hasta diez veces más bajos: resulta más barato comprar lo fabricado en China (aunque traiga la etiqueta de una marca gringa) que comprar un producto local de maquila responsable (que, por ende, es más caro).[3]

«Los fabricantes se encontraron en desventaja ante un producto hecho de manera clandestina, pero que al mismo tiempo era más llamativo e innovador»,[4] recuerda Lydia Lavín, una de las diseñadoras y asesoras de moda con mayor trayectoria en el país.

En este clima crítico, los minoristas —es decir, distribuidores de *retail*, como las tiendas departamentales— fueron algunos de los grandes beneficiados, debido a la variedad de productos que pudieron incluir en su catálogo, muchos de ellos de marcas extranjeras codiciadas. Ante semejantes facilidades para importar producto extranjero, México se volvió un país comercializador de artículos importados, y solamente alguno que otro nacional. Las tiendas departamentales no solo agregaron prendas de fabricación asiática, también desarrollaron mar-

---

3 Saucedo Delgado, Odra Angélica, «La industria textil en México: TLCAN, China y la globalización. Un análisis a favor de una estrategia de desarrollo integral», Cátedra Levi Strauss-Anáhuac por la Libertad de Asociación en la Industria de la Confección, Centro Idearse, Universidad Anáhuac, junio 2013. [En línea] <https://www.anahuac.mx/mexico/files/investigacion/2013/may-jun/29.pdf>

4 L. Lavín, entrevista personal, 2019.

Foto: Pasarela Macario Jiménez 2000, cortesía del diseñador.

cas propias, muchas de las cuales aún existen, como That's It! de Liverpool. Si bien, muchas de estas marcas favorecieron la creación de empleos al desarrollarse y fabricarse en México, también representaron un fuerte obstáculo para los diseñadores, quienes quedaron en desventaja al no contar con la misma infraestructura ni la misma promoción.

Aunque la creciente popularidad de Liverpool, Sears o El Palacio de Hierro significó nuevos puntos de venta para diseñadores mexicanos, como Macario Jiménez, Mariana Luna o Cynthia Gómez, estos pronto encontraron que la competencia en piso de venta era difícil. Cynthia, quien al día de hoy está al frente de la dirección de la carrera de Diseño de Moda en la Universidad Iberoamericana, recuerda que «los *retails* empezaron a importar productos extranjeros con los que compartías piso de venta, pero no había manera de competir. Lo que a esas marcas les costaba hacer la prenda a ti te costaba tan solo la tela que, además, ni siquiera podías comprar en México porque todos los textileros murieron. Esto detonó que los diseñadores, al final, se volvieran a compactar y regresaran al *showroom*».[5]

---

5 C. Gómez, entrevista personal, 2019.

Foto: Pasarela Macario Jiménez 2000, cortesía del diseñador.

Los creativos que no elegían la vía del emprendimiento, de la creación de sus propias marcas, hallaron un campo laboral un poco más diversificado: había más oportunidades de incorporarse, por ejemplo, al área de compras de las tiendas departamentales o al desarrollo de sus líneas de ropa. Como mentora de marcas propias para tiendas departamentales, Lydia Lavín ha observado la evolución de este fenómeno desde diferentes perspectivas: «Por primera vez los diseñadores pudieron trabajar con telas internacionales, que eran las únicas disponibles por el quiebre del sector textil nacional. Algunas empresas lograron compensar la creciente fuerza de diseño con las nuevas materias primas disponibles y esto propició que fuera un momento fructífero para marcas medias como las mexicanas Ferrioni, Scappino y Julio».[6]

A estas condiciones se sumó un fenómeno de movilidad social que trajo consigo el aumento en la creación de empleos a principios del 2000. De acuerdo con el Instituto Nacional de Estadística y Geografía (INEGI), la población que ingresó a la clase media del 2000 a 2014 creció 33.8%, lo cual inevitablemente se reflejó en la dinámica de consumo, en especial de la ropa. Gustavo Prado, autor de *Mextilo* y analista de tendencias sociales y de consumo, explica que «en este periodo vimos el aumento de la clase media y, en el momento en el que te vuelves clase media, lo que quieres es más variedad de pantalones, más playeras, más zapatos, todo de costo muy bajo. Esa es una necesidad que llega a cubrir marcas como Zara».[7]

Así, la promesa de competitividad que pintó el TLC terminó en una avalancha de productos extranjeros que desplazaron a los nacionales, en el cierre de cientos de empresas y maquilas, la pérdida de empleos y una industria que pasó de producir a comercializar sus productos.

La generación de oro

Si bien, durante los años noventa los diseñadores perdieron el apoyo de los *retails* y del sector textil, los creadores como Macario Jiménez, Julia y Renata, Sarah Bustani, Héctor Terrones, Mauricio Olvera (Grypho) y Keko Demichelis representan a una generación que marcó un nuevo modelo de industria, en el que los diseñadores mismos se organizaron para crear la primera semana de la

---

6 L. Lavín, entrevista personal, 2019.

7 G. Prado, entrevista personal, 2019.

moda (de la que hablaremos más adelante), y para colaborar directamente con las crecientes publicaciones de moda en México. Claro ejemplo de ello es el especial del 21.ᵉʳ aniversario de la edición mexicana de la revista *Harper's Bazaar* en octubre del 2000, mediante la cual se presentó a los 16 diseñadores que conformaban a la industria en ese momento. En dicha edición, podemos encontrar a los creadores mencionados anteriormente, junto con otros ya consagrados, como Manuel Méndez.[8]

Esta instantánea marcó el inicio de los 2000, en el que esfuerzos como el de *Harper's Bazaar* o la exposición de moda mexicana contemporánea «Boutique», curada por Ana Elena Mallet y presentada en el Museo Carrillo Gil en 2003, siguieron dándole pulso al mundo de la moda en México. Otro suceso importante al inicio de esta década fue el surgimiento de nuevas universidades que incluyeron la licenciatura en Diseño de Moda como parte de su oferta académica, así como la inclusión de esta en las universidades ya existentes (ya profundizaremos en ello más adelante).

Si bien, el TLC representó un desafío importante para la industria de la moda mexicana, muchos creativos supieron esquivar las desventajas que este acuerdo trajo consigo, como la competencia de los productos extranjeros o la escasez de materia prima nacional. Así, el periodo de 2000 a 2010 dio origen a una de las décadas más fructíferas de marcas de diseño mexicano con una bandera más independiente, de producción en pequeña escala en sus talleres y de ventas en el *showroom*. Marcas como Malafacha, Trista, Alejandra Quesada, Temores, Marvin y Quetzal, Sergio Alcalá, Paola Hernández y Mancandy sobresalieron por sus propuestas creativas, las cuales se alejaban del estilo clásico que el diseño mexicano procuraba hasta ese momento, además de dirigirse a un público consumidor más joven. Desde el lenguaje contestatario de las colecciones de Malafacha, la propuesta inspirada en conceptos filosóficos de Paola Hernández, el discurso *queer* de Marvin y Quetzal, o el neomexicanismo de Sergio Alcalá, lo cierto es que esta generación se caracterizó por un fuerte mensaje de diferenciación. No todas estas marcas sobreviven hoy en día, pero indudablemente abrieron paso a un nuevo estilo y lenguaje que poco a poco encontró aliados en nuevas revistas, fotógrafos y *stylists* que dejaban atrás la idea de que la moda era un lujo exclusivo de las clases altas.

Posteriormente, diseñadoras como Cynthia Buttenklepper o Lorena Saravia, que se habían formado en el extranjero, encontraron a su regreso una escena un poco más sólida: plataformas, concursos y nuevos medios que les

---

8 Manuel Méndez es considerado uno de los padres de la moda mexicana. Destacó por su trabajo al vestir a las principales celebridades durante la época de cine de oro en México, como María Félix y Dolores del Río.

Foto: Pasarela Macario Jiménez 2001, cortesía del diseñador.

brindaron la posibilidad de despegar. También destacaron Paola Wong y Natalie Amkie, al igual que otros egresados de universidades nuevas, como CENTRO. Además, los concursos como México Diseña —un proyecto de la revista *Elle*, en el que los diseñadores competían creando distintos *looks*—[9] propiciaron el descubrimiento de nuevos creadores. Al final todos estos talentos emergentes terminarían por unirse a marcas ya consolidadas para impulsar iniciativas propias, con la intención de abrirse paso en este nuevo ecosistema de la moda.

Aquí vale la pena hacer un pequeño paréntesis para aclarar lo siguiente: cuando hablamos de «la moda», comúnmente nos referimos al pequeño sector de moda autoral, aquel que lleva el nombre del diseñador que creó la marca. Sin embargo, esta noción perpetúa (tanto con marcas nacionales como internacionales) la idea errónea de que el diseñador es el principal o incluso el único actor en el proceso de creación; lo anterior se opone al concepto de industria, cada vez más recurrente en el mundo de la moda, a partir del cual es vital comprender que, detrás de un producto, no hay solo un nombre, una sola nacionalidad o un solo fin como marca.

Por ejemplo, ya hacia la segunda década de los 2000 surgieron proyectos con un discurso más profundo. Tal es el caso de Cihuah, de Vanessa Guckel, diseñadora y arquitecta francesa que demostró que la moda hecha en México se construye también con manos extranjeras; o de Yakampot, de Concha Orvañanos con Francisco Cancino como director creativo, marca respaldada por un proyecto social cuyo objetivo era integrar el trabajo de comunidades de artesanos. Esta fue una época marcada también por la muerte de Manuel Méndez, en 2004, y de Ramón Valdiosera, en 2017, considerados los padres de la moda mexicana.

De cierto modo, estos hechos representaron el fin de la moda mexicana como creación autoral y única de un modista, y el inicio de un periodo en el que el diseño mexicano entendió que no basta con hacer ropa, sino que, como marca, es necesario crear conceptos que conecten con el contexto actual del consumidor nacional. Así, la generación dorada abrió las puertas a que el diseño mexicano no fuese una idea exclusiva de *boutiques* de lujo, a que la diversidad estética en el mundo del modelaje fuera más variada, a que una chamarra con

---

9 El panel de jueces encargado de determinar el ganador estaba conformado por quienes, cada una en su momento, serían las editoras de la revista: Maripaz Ocejo, Sara Galindo y Claudia Cándano, y por algunos invitados especiales, como diseñadores reconocidos o celebridades. El premio era diferente cada temporada, pero invariablemente incluía un *photoshoot* publicado en la revista *Elle*, un espacio en el calendario de la semana de la moda en México, becas de emprendimiento y el apoyo monetario de distintos patrocinadores.

mensaje nacionalista uniera a los mexicanos o a que los estudiantes tuvieran ejemplos tangibles de que es posible dedicarse a la moda en este país como una profesión en forma.

La profesionalización de la moda

Por primera vez en la historia, la carrera de Diseño Textil y Diseño de Moda comenzó a formar parte de la matrícula de diversas universidades, nuevas y ya establecidas. Previo a esto, el Centro de Estudios Tecnológicos Industrial y de Servicios No. 9 (cetis 9) Josefa Ortiz de Domínguez, fundado en 1910 y vigente hasta la fecha, estaba posicionado como la primera escuela en ofrecer una carrera técnica en Corte y Confección. Por mucho tiempo, este centro de estudios fue la única escuela y la más prestigiosa para aprender el oficio de costura, sastrería o patronaje.

Fue hasta 1999 cuando Emmanuele M.M. de Román obtuvo el registro de la sep para implementar la primera la licenciatura de moda en México. La carrera de Moda y Creación instauró el Instituto de Estudios Superiores de Moda, conocido también como Casa de Francia. Como parte de la inauguración de este proyecto, en noviembre de 1998, Emmanuele, en colaboración con la embajada de Francia, invitó a la joven Isabel Marant —diseñadora que años después ganaría fama internacional— a montar un desfile en México.

En 1985, la diseñadora Jannette Klein, tras culminar sus estudios en San Francisco, regresó a México para impartir cursos sobre moda. Su academia, que poco a poco evolucionó hasta convertirse en una universidad, consiguió en 2002 el registro ante la sep para la licenciatura en Diseño y Publicidad de Moda, la cual se caracterizó por integrar el diseño y confección de prendas con herramientas mercadológicas.

La Universidad Iberoamericana, por su parte, ofrecía formación en Diseño Textil desde 1988, pero fue hasta 2014 que admitió la licenciatura en Diseño de Indumentaria, la cual se enfoca por completo al diseño de prendas de vestir. Cynthia Gómez, directora de esta carrera, explica que «tardó en entrar por el tema jesuita y la idea de que la moda era banal. Después se presentó como un proyecto que veía la indumentaria como parte del ser humano, y como una industria que ha generado un sinfín de plazas laborales, recalcando lo importante que es formar a los mejores para transformar a la sociedad a través de la indumentaria».[10]

---

10 C. Gómez, entrevista personal, 2019.

Foto: Pasarela Macario Jiménez 2001, cortesía del diseñador.

En 2004, Gina Diez Barroso fundó el Centro de Diseño, Cine y Televisión, conocido popularmente como CENTRO: una universidad que tiene la misión de impulsar la economía creativa del país a través de distintas carreras, entre las que se encuentra Diseño Textil y Moda. Para Mónica Mendoza, actual directora de esta licenciatura.

«La formación tiene que ver con cuestionar, no con entrenar y adiestrar a los diseñadores con habilidades para la industria; también implica desaprender, porque algo que ha sido una molestia en la moda es el cuento del legado, pensar que si algo siempre se ha hecho de una manera, se tiene que hacer así siempre».[11]

Hoy hay más de una decena de universidades a lo largo del país que ofrecen esta carrera: el Instituto de Estudios Superiores de Moda Casa de Francia, la Universidad Anáhuac, la Universidad del Valle de México, el Instituto Burgos, el Centro de Estudios Superiores de Diseño de Monterrey y el Centro Integral de Moda y Estilo en Guadalajara son tan solo algunas de ellas. Además, han surgido escuelas que no ofrecen un título universitario, pero han destacado por sus programas de formación en la industria, como TALLER Fashion Development Project o Trendo y la academia de Gustavo Prado, quien considera que «tener buenos procesos de diseño tiene que ver con saber resolver un problema. Es un gran error que las escuelas de moda sean escuelas manuales».[12] Sin embargo, las grandes ausentes han sido las universidades públicas, las cuales han ignorado el potencial económico de formar profesionales en la industria del vestido.

Si bien, el grado de profesionalización que puede alcanzar un diseñador en México es alto, el estado actual de la industria tiene aún algunos vacíos

---

11 M. Mendoza, entrevista personal, 2019.

12 G. Prado, entrevista personal, 2019.

que podrían abordarse desde la educación. Un buen inicio implicaría dejar de concebir a la moda solo como diseño y considerar todo lo que la rodea, como la administración, la producción, la comercialización, entre muchas otras necesidades. Como reflexiona Ana Elena Mallet: «No es viable tener solo una carrera de diseño de moda porque estás formando solo diseñadores. Para tener un ecosistema sano sería importante considerar un sistema de cuadros, de tal modo que en la carrera de Industria de la Moda o Negocio de la Moda se distribuyan tareas que involucren a la industria, como producción, *retail*, negocios, administración o *marketing*. Si el comprador de Liverpool o de El Palacio de Hierro estudió negocios internacionales y no negocios de moda, te va a comprar de acuerdo con su entendimiento del mundo, que quizás no tenga que ver con lo que estás presentando conceptualmente».[13] Esta es una realidad a la que los diseñadores se enfrentan día a día, en algunos casos padeciendo que la industria no entienda su concepto creativo.

Pero, al mismo tiempo, es importante que el creativo, en lugar de buscar ser comprendido, sea quien comprenda al mercado. «En los últimos años todos queremos ser Alexander McQueen»,[14] dice Ana Elena Mallet, «pero hay muchas capas y mucho México. Sería increíble formar diseñadores que no solo sean para la élite de Fashion Week».[15] En esto concuerda Lydia Lavín al reconocer que «hay que trabajar en la democratización de la moda, en que haya un producto para todo público y un precio justo para todos. México es plural y tienes que abrirte».[16]

Aunque el nombre del diseñador se levantó con el surgimiento de tantas marcas de autor nuevas, la parte técnica sufrió una crisis. El auge de las nuevas licenciaturas en moda provocó que las patronistas y las costureras comenzaran a escasear. «Eso complicó los mandos medios, porque no todo el mundo estaba calificado. Los primeros diseñadores con título universitario no eran patronistas, no eran técnicos, pero tampoco eran creativos», recuerda Lydia Lavín.[17]

En el otro lado de la moneda, son notables los logros de la profesionalización del diseño de moda en México: las habilidades del diseñador, por ejemplo,

---

13 A. Mallet, entrevista personal, 2019.

14 Mallet se refiere no solo a la importancia y trascendencia que el diseñador inglés tuvo en el mundo de la moda, también del carácter creativo, controversial y llamativo de su trabajo.

15 A. Mallet, entrevista personal, 2019.

16 L. Lavín, entrevista personal, 2019.

17 *Idem.*

realmente han evolucionado, pues este ahora cuenta con más herramientas creativas, mercadológicas y empresariales que aquellos grandes modistas del siglo pasado.

Cada fin de semestre significa una nueva camada de diseñadores que llegan a refrescar la industria, algo que se agradece. Además, los estudiantes, las universidades y los diseñadores han tenido una sinergia fructífera en cuanto a prácticas profesionales. Muchas de las marcas de las que hablaremos en este libro tienen en sus talleres a más de un estudiante, el cual tendrá la posibilidad de aprender al trabajar codo a codo con un diseñador.

De cara al 2020, por un lado, es posible observar que la magnitud de la industria de la moda nacional no tiene precedentes; por el otro, sin embargo, es evidente que aún no alcanza el nivel de otras capitales en el mundo. «La industria es un poco como la historia del país: ya vas a llegar y de repente se cae todo»,[18] comenta la curadora Ana Elena Mallet. El inicio de siglo trajo retos y cambios en la industria, principalmente por la llegada del TLC, que facilitó la entrada de productos extranjeros, más atractivos que los nacionales gracias a diversos factores. No obstante, como suele suceder, esta desventaja provocó que se buscara alternativas para solucionar el problema, y los diseñadores independientes forjaron una de las épocas más fructíferas en marcas de autor. Aunque muchas de ellas ya no continúan activas, podemos reconocer la manera en que construyeron un camino para muchas generaciones nuevas. Así, de frente a los próximos 20 años de la moda hecha en México, podremos seguir esperando esta evolución no lineal pero sí progresiva, para la cual —entre muchas otras cosas— será vital hacer consciencia de que, detrás de un producto, se esconde mucho más que un solo nombre. Preparar profesionales que puedan cubrir todos los flancos necesarios en la moda será un buen comienzo.

---

18 A. Mallet, entrevista personal, 2019.

La moda en México: 1999-2019

1999
¬ Se inaugura la primera escuela con la licenciatura de Moda y Creación registrada por la SEP. Se trata del Instituto de Estudio Superiores de Moda Casa de Francia, fundado por Emmanuele M.M. Román.

2000
¬ Exposición «Boutique» en el museo Carrillo Gil, por Ana Elena Mallet.

2001
¬ Nace Fashion Week México.

2002
¬ Desirée Navarro publica *El libro de la moda en méxico*, el primero en hablar sobre la historia de la industria hasta ese momento.

2004
¬ Desirée Navarro publica su segundo libro, *La historia de la moda en méxico*.
¬ Armando Mafud presenta su colección en Berlín, como parte de la celebración del Aniversario de la Independencia de México.

2005
¬ CENTRO empieza a ofrecer la carrera de Diseño Textil y Moda.
¬ Francisco Saldaña y Victor Hernal fundan Malafacha.

2006
¬ La revista *Elle* celebra la primera edición del *reality show México Diseña*, y la diseñadora Clara González es galardonada con el primer lugar.
¬ Los diseñadores Marvin Durán y Quetzalcóatl Rangel presentan su marca Marvin y Quetzal.

2007
¬ La agencia de publicidad COLOüRS instaura DFashion.
¬ El diseñador Andrés Jiménez funda Mancandy.
¬ Los diseñadores José Alfredo Silva y Giovani Estrada crean la marca Trista.
¬ Nace el Mercedes-Benz Fashion Week.

2008
¬ Muere Quetzalcóatl Rangel, diseñador y fundador de Marvin y Quetzal.
¬ Kris Goyri gana la edición 2008 de *México Diseña* y funda su marca.
¬ Sandra Weil crea Sandra Weil Couture.

2009
¬ Nace la plataforma International Designers Mexico, creada por el productor Manuel Vera para impulsar a los talentos nuevos.
¬ Alexia Ulibarri presenta la primera colección de su marca homónima.
¬ Se inaugura la exposición «Rosa Mexicano» en la Casa del Lago Juan José Arreola, la cual incluye a Valdiosera, Trista y Malafacha, tres marcas de dos generaciones que han construido una identidad nacional a través de la moda.

2010
¬ Se instaura la alianza COLOüRS-Mercedes-Benz, que da origen a Mercedes-Benz DFashion.
¬ Alfredo Martíne, Lorena Saravia y Cynthia Buttenklepper lanzan, cada uno, sus marcas homónimas.
¬ Fallece César Franco, diseñador pionero en el tejido de punto.
¬ Muere el diseñador Pedro Loredo, quien destacó a mediados del siglo pasado por sus bordados prehispánicos.

2011
¬ Concha Orvañanos crea Yakampot.

2012

¬ Surge Google + Fashion.
¬ La diseñadora Vanessa
Guckel funda Cihuah.

2013

¬ Nace la plataforma de
desfiles de moda Nook.
¬ El diseñador Armando Takeda
funda su marca homónima.
¬ Carla Fernández recibe el
premio Prince Claus en Los
Países Bajos, que reconoce
a artistas que han tenido un
impacto positivo en la cultura.
¬ *Vogue México* y *Latinoamérica*
organizan la primera edición
mexicana del concurso Who's
On Next, y Lorena Saravia
resulta ganadora.

2014

¬ En su oferta académica, la
Universidad Iberoamericana
incluye Diseño de Indumentaria
y Moda.
¬ Yakampot, con Francisco
Cancino como director creativo,
es elegido por *Vogue México*
como ganador de Who's
On Next.

2015

¬ Fallece el diseñador Carlos
Temores, quien, además
de destacar con su marca
T.E.M.O.R.E.S., es recordado por
muchos diseñadores debido a
su notable crítica constructiva
de moda y trabajo en equipo
entre creativos.

¬ Carla Fernández presenta
la exposición «La diseñadora
descalza» en el Museo Jumex.
¬ Trista, de José Alfredo Silva,
gana la edición 2015 de Who's
On Next.
¬ Yakampot, Julia y Renata,
Vero Díaz y Carla Fernández
presentan sus colecciones en
Londres como parte del año
dual México-Reino Unido.

2016

¬ Primera edición de Mexico
Fashion Film Festival.
¬ Alfredo Martínez colabora
con LOB, la marca tapatía
de *fast-fashion*, para presentar
una colección.
¬ Gustavo Prado presenta la exposición fotográfica «POSE» en
el Foto Museo Cuatro Caminos.
¬ Ana Elena Mallet presenta la
exposición «El arte de la indumentaria y la moda en México
1940-2015» en el Palacio
de Iturbide.
¬ Primera edición de Colectivo
Diseño Mexicano.
¬ *Vogue México* premia a
Armando Takeda como el nuevo
ganador de Who's On Next.

2017

¬ Nace DMx32, la plataforma
creada por Sara Galindo y
Johann Mergenthaler para
buscar nuevos talentos.
¬ Muere Ramón Valdiosera,
artista multidisciplinario y padre
del color «rosa mexicano».
¬ La principal plataforma de
desfiles adopta su nombre
actual: Mercedes-Benz Fashion
Week Mexico City.
¬ Andrés Jiménez, diseñador
de Mancandy, es nombrado
ganador de Who's On Next.

2018

¬ Por primera vez en la historia,
Amazon, uno de los *retailers* más
grandes del mundo, comienza
a vender diseño mexicano en
su plataforma.
¬ Cynthia Buttenklepper gana
la edición 2018 de *Vogue
México* Who's On Next.
¬ Beatriz Calles, afamada
productora, celebra 50 años
de hacer moda en México.

2019

¬ Sánchez-Kane lanza la
colección otoño-invierno titulada
Las Puertas al Sentimentalismo;
su temática principal se enfoca
en una nueva representación de
la masculinidad en México.
¬ Muere el diseñador
Gianfranco Reni.
¬ Se inaugura en el Museo
Franz Mayer la exposición
«Entre la moda y la tradición»,
curada por Ana Elena Mallet.

La profesionalización de la moda en México

POR *Cynthia Gómez*

Vestir es una necesidad básica en la vida del ser humano, la cual ha detonado un sinfín de estereotipos y estatus sociales. Sin embargo, la figura del diseñador no fue relevante sino hasta 1858, año en que se reconoció a Charles Frederick Worth como el primer artista de moda. Worth se convirtió en el padre de la alta costura y de los diseñadores, puesto que en 1868 creó la Cámara Sindical de Alta Costura en Paris, organismo encargado de regular a los diseñadores y sus creaciones. Gracias a esta legislación, en 1927 se fundó L'École de la Chambre de Syndicale de la Couture Parisienne, la primera escuela de diseño de moda en esta ciudad, cuya misión fue la de profesionalizar al costurero y convertirlo en un artífice de la moda.

No obstante, en México el proceso fue todavía más lento. Las primeras escuelas se instauraron hasta las últimas dos décadas del siglo XX:

[...] el antecedente de una escuela dedicada al oficio de crear prendas de vestir fue en 1910, cuando Porfirio Díaz inaugura la Escuela Nacional Primaria Industrial para Niñas la Corregidora de Querétaro (CETIS No. 9) destinada a formar a las mujeres en la labores de la confección de prendas de vestir.[19]

En los siguientes 70 años de gobierno, el poder ejecutivo promovió un país maquilador, situación que impulsó la formación de técnicos en confección para abastecer las necesidades de fabricación de productos a bajo costo, y aprovechar con ello las oportunidades de adhesión de México al Acuerdo General sobre Aranceles y Comercio (GATT) en 1986. Fue en este momento cuando Jannette Klein y Xavier Reyes decidieron fundar el Instituto Superior de Diseño de Moda Jannette Klein, con el fin de preparar a los futuros técnicos en Confección que demandaba la industria: «Me di cuenta de que la mayo-

---

19 Ramirez, G. *La industria de la moda en México* (tesis de maestría), CDMX, CENTRO, 2018, pág. 130.

Foto: *Backstage* de Yakampot, cortesía Fashion Week México.

ría de las personas se formaban por tradición. Para lograr darle un giro a la industria de la moda en México, necesitábamos profundizar en conocimientos técnicos, formar profesionales completos».[20]

Con el tiempo, Klein obtuvo la acreditación de licenciatura técnica, lo que provocó que surgieran otras instituciones que ofrecían este mismo programa. La única universidad ya establecida que lanzó un plan relacionado con la industria de la moda fue la Universidad Iberoamericana Ciudad de México, que en 1988 incluyó la licenciatura en Diseño Textil como parte de su oferta académica. Esta fue impulsada por Marcela Gutiérrez, quien, además, buscaba visibilizar el trabajo de las comunidades indígenas textileras del país, así como fomentar el desarrollo del diseño en la industria. De momento, la carrera logró satisfacer la demanda y los requerimientos de los diseñadores especializados en moda.

No obstante, fue menester para Klein la instauración de la primera licenciatura oficial en diseño de moda. En 1992 se había firmado el Tratado de Libre Comercio (TLCAN), el cual entraría en vigor en 1994.

---

20   J. Klein, entrevista personal, 2019.

Dicho acuerdo ponía en riesgo a los confeccionistas nacionales, pues, a falta de un sistema de profesionalización que fuera más allá del nivel técnico, no se contaba con una oferta de diseño de moda lo suficientemente potente como para que esta representara un diferenciador frente a la competencia de precios que arrancaría con la inserción de productos provenientes de China en el mercado mexicano. Lo anterior motivó a Klein —pionera en su ramo— a defender la licenciatura y enfrentar a las autoridades hasta conseguirla. Según ella, «se tenía que entender que la creatividad es una fuerza que nutre la economía y la cultura de un país».[21] Tan pronto como cambió el partido en el poder, Klein consiguió la certificación para incluir la primera carrera oficial en Diseño y Publicidad de Moda en el 2002. Esto impulsó a otras universidades a crear licenciaturas enfocadas completamente en la materia.

En 2004 se inauguró CENTRO, institución dedicada a la profesionalización de la creatividad y especializada en diseño, aunque tuvieron que pasar dos años para recibir a sus primeros alumnos de la licenciatura en Diseño Textil y Moda. Como lo menciona la directora general de CENTRO, Kerstin Scheuch, «nosotros siempre tuvimos claro lo que íbamos a abrir, justo quisimos integrar textil y moda desde un inicio».[22] Así pues, esta carrera se enfocó en insertar a sus egresados no solo en el mercado nacional, sino también en un mercado global.

A pesar de que en la primera década de los 2000 varias universidades implementaron carreras especializadas en la formación de diseñadores de colecciones (Universidad del Valle de México, Instituto de Estudios Superiores de Moda Casa de Francia, Universidad de Londres e Instituto de Moda Burgo), fue hasta 2013 cuando la Ibero incluyó el programa de Diseño de Indumentaria y Moda, con el objetivo de formar alumnos con una visión humanista y un pensamiento crítico sobre la industria.

En la actualidad, existen más de 100 universidades en el país que ofrecen la licenciatura en Diseño de Moda: «El reto es formar estudiantes para un mundo más complejo y deshumanizado, el futuro de la educación debe ser el compromiso con el ambiente, la ética, la empatía y el interés por controlar el daño de esta industria».[23] Existe una gran demanda de estudiantes que buscan dedicarse a las distintas áreas de la moda, pero se tienen pocos

---

21   J. Klein, entrevista personal, 2019.

22   Ramírez, G. *Op. cit.*

23   J. Klein, entrevista personal, 2019.

docentes con maestrías en el ramo. En definitiva, nos encontramos en un momento clave para transformar la industria de la moda nacional a través del diseño, mediante la formación de alumnos a la vanguardia en tecnología y con una conciencia social que ayude a complementar el ciclo de la moda.

Cynthia Gómez

Académica en el Departamento de Diseño de la Universidad Iberoamericana, campus Ciudad de México. Es licenciada en Diseño Textil, con maestría en Alta Dirección de Empresas del IPADE y cursos de especialización en Central Saint Martins School of Art and Design. Cuenta con más de 20 años de experiencia en la industria de la moda, con la creación de Malika y de su firma homónima.

Capítulo Dos

SIETE DÍAS DE MODA

Una prenda solo cobra vida en el momento en el que alguien la viste. Hoy, el desfile de moda es un rito de paso a través del cual una marca presenta su colección más reciente al mundo. En los últimos 20 años, los desfiles de moda en México pasaron de ser pequeños eventos a producciones que ocuparon el Ángel de la Independencia. ¿Cómo sucedió?

Foto: *Backstage* de Alexia Ulibarrí por Eugenio Schulz, cortesía del fotógrafo.

No se puede hablar de la historia de la moda sin mencionar a la plataforma que a lo largo del año les da el soplo de vida a las colecciones de las mejores marcas. Nos referimos a la semana de la moda, el formato de pasarelas que inició en París durante los años cuarenta como una manera de mostrar las últimas creaciones de cada diseñador de moda ante la prensa, quienes después comunicarían a sus lectores las últimas tendencias. Se trataba de un evento donde también estaban invitados algunos compradores de *boutiques* y clientes especiales.

Hoy los desfiles han evolucionado bastante. Las plataformas se han diversificado para mostrarnos colecciones *couture*, *ready-to-wear*, *resort*, *pre-fall* y *menswear*; las pasarelas son espectáculos dignos de una producción cinematográfica y la lista de invitados es cada vez más numerosa, pero no por ello deja de ser selectiva. ¿Y en México? Aquí la historia ha sido un tanto diferente.

Las primeras producciones de desfiles de moda en la década de los setenta y de los ochenta se centraban en presentaciones únicas y más íntimas para cada marca o diseñador a manera de *trunk show* dentro de tiendas departamentales, y sin seguir el calendario habitual de dos temporadas al año. Incluso, la comunicación de cada desfile se hacía en las secciones sociales de diarios como *El Universal*.

En 1996, diseñadores como Claudia Verdes, Michelle Ferrari, Macario Jiménez y Mariana Luna se reunieron para crear, en conjunto, Días de Moda, el preámbulo de la semana de la moda mexicana, inicialmente presentado una vez al año durante el otoño. Las primeras ediciones se llevaron a cabo en El Octavo Día, un foro ubicado en la colonia Condesa. En 1997, Cynthia Gómez se une a Días de Moda con su marca Zyn; recuerda que para ese momento los mismos diseñadores debían hacerse cargo de todo lo que implicaba una pasarela. «Cada uno tenía un espacio para presentar sus colecciones y juntos compartíamos la organización del evento y la producción».[24] Es decir, las tareas con respecto a la locación, ambientación, modelos, maquillaje y cabello se dividían entre los diseñadores y, entre todos, buscaban los fondos para costearlo a través del patrocinio de otras marcas o de la inversión propia.

Después de un par de ediciones, en 1998, José Andrés Patiño, director de KTR Eventos, una de las agencias de producción más relevantes de

---

24 C. Gómez, entrevista personal, 2019.

ese entonces, les propuso hacerse cargo de la administración de Días de Moda, además de financiar el evento para que los diseñadores pudieran enfocarse en el desarrollo de sus colecciones. En aquel momento, el evento se celebraba ya de manera semestral, y para la temporada primavera-verano 2000 contaba con la participación de más de 20 diseñadores.

La historia de Días de Moda terminaría en el año 2000, ya que, con el apoyo de José Andrés Patiño, este evento evolucionaría en 2001 para convertirse en Fashion Week México.

Foto: Desfile de Universidad CENTRO, cortesía de Fashion Week México.

Un nuevo siglo

Los años que vieron el final del siglo xx eran tiempos inciertos: por un lado, estaba la promesa futurista de mitad de siglo donde la humanidad imaginaba un año 2000 con autos voladores, vestimentas y peinados con ondas espaciales y, por otro, el ominoso augurio del fin del mundo. Finalmente, nos dimos cuenta de que solo un segundo separaba a 1999 del año 2000 y, así, de la noche a la mañana vimos la llegada de una nueva era en la que no se cumplió ni la promesa futurista ni el final fatalista, sino un nuevo periodo que trajo consigo el ímpetu de crecimiento y, para la moda en específico, el de perfilar la industria nacional en la misma dirección que todas las capitales de este rubro en el mundo.

El formato de desfiles donde varias marcas, durante varios días, presentan sus colecciones a compradores y medios de comunicación nació en Nueva York a principios de la década de los cuarenta. A partir de su creación, surgió de manera intrínseca el llamado calendario de la moda mundial, en el que las cuatro ciudades más importantes en este rubro dictan la pauta global. El calendario arranca con la semana de la moda de Nueva York, le sigue Londres, luego Milán, y

Foto: *Backstage* de Benito Santos por Eugenio Schulz, cortesía del fotógrafo.

cierra París. En el ínterin, casi un centenar de ciudades más realizan eventos similares dos veces al año, que marcan la funcionalidad y estilo de las prendas a presentarse según las estaciones: otoño-invierno y primavera-verano.

México no podía quedarse atrás y el cierre de siglo —con las promesas incumplidas, pero con el afán de evolución— era el momento apropiado para incorporarse a este calendario global. Solo hacía falta un detalle: nombrar al evento. Es así que en 2001, José Andrés Patiño registra el nombre de Fashion Week México[25] y comienza a dirigir esta recién bautizada plataforma junto con la periodista y promotora del diseño mexicano Anna Fusoni.

La plataforma acogió a diseñadores como Armando Mafud, Julia y Renata y Pineda Covalín, lo cual les otorgó una ventaja sobre cualquier otra semana de la moda: los diseñadores no tenían que pagar por tener un espacio en el calendario, y solo podían entrar por invitación, a diferencia de las plataformas que existían en el resto del mundo donde tener un desfile dentro de la semana de la moda implicaba una inversión fuerte. Sin embargo, con poco tiempo de vida, el reto de esta organización fue la lucha por conservar el nombre de Fashion

---

25 J. Patiño, entrevista personal, 2019.

Week, ya que existía otro registro ante el Instituto Mexicano de la Propiedad Industrial,[26] lo que complicaba su uso.

Mientras la situación legal de este primer Fashion Week era incierta debido a lo anterior, en 2006 COLOüRS, la agencia que hoy en día está encargada de la producción de este evento, vio la oportunidad de impulsar una plataforma que también considerara a diseñadores emergentes y que contribuyera a formar vínculos valiosos con la prensa y los compradores. Así, los socios fundadores Cory Crespo, Hugo Wacone y José Manuel Borbolla invitaron al diseñador José María Torre para crear DFashion (como referencia al nombre de la ciudad en ese momento), una nueva serie de desfiles que prometía ser de diseñadores para diseñadores.

La primera edición de DFashion sucedió el 2 de mayo de 2007 en el Sheraton Centro Histórico, con los diseños de Alana Savoir, Clara González, Ricardo Seco y Ximena Valero; el evento fue producido por el asesor de moda y publirrelacionista Manuel Vera. En ediciones siguientes se incorporarían marcas como Pineda Covalín y Agatha Ruiz de la Prada, además del reconocido *manager* mexicano Jorge Mondragón, como socio. DFashion mostró su interés en potencializar sus marcas al crear el Foro de Ideas (que existió hasta 2017), un espacio donde los diseñadores tenían la posibilidad de reunirse con la prensa o sus compradores para recibir retroalimentación sobre sus colecciones. «Fuimos un parteaguas en concientizar a la gente sobre consumir local y voltear a ver a los diseñadores»,[27] afirma José Manuel Borbolla, director de relaciones públicas de DFashion.

Hasta ese entonces, había un problema con la prensa nacional, debido a su ausencia en los desfiles; uno de los logros de DFashion fue reunir desde el día uno a personajes como Lucy Lara (*InFashion*), Toni Salamanca (*Harper's Bazaar*), Gabriel Ibarzábal (*Latin Fashion News*), Sara Galindo (*Elle*) y Eva Hughes (*Vogue*). «Nadie podía creer que la editora de *Vogue* estuviera ahí»,[28] recuerda Borbolla con emoción.

Dos eventos se suman a la lista

A esta plétora de pasarelas llegó a sumarse un nombre conocido por todos, pero poco asociado con la moda. La marca alemana de autos de lujo, Mercedes-Benz,

---

26 *Idem.*

27 J. Borbolla, entrevista personal, 2019.

28 *Idem.*

comenzó a ser percibida en el 2000 como cosa del siglo pasado, y esto la llevó a buscar territorios que explorar para quitarse algunos años de encima. La estrategia fue asociarse con plataformas de moda en distintas capitales del mundo. Y funcionó.

Al llegar a México, ninguna de las opciones convenció al equipo, por lo que decidieron crear su propio evento como propietarios absolutos, algo que solo sucedió en Berlín y en nuestro país. De este modo, la empresa alemana presentó la primera edición del Mercedes-Benz Fashion México en octubre de 2007, con los diseños de Macario Jiménez, Arturo Ramos, Carlo Demichelis, y una exclusiva para la revista *Vogue* y el diario *Reforma*.

Más tarde, en 2009, mientras Fashion Week México, DFashion y Mercedes-Benz Fashion México daban espacio a las marcas mejor posicionadas del país, diseñadores emergentes buscaban un foro donde mostrar sus colecciones. Atendiendo a esta necesidad, Manuel Vera abandonó la producción de Fashion Week México para enfocarse en la creación de International Designers México (IDM), con la promesa de proyectar y comercializar a escala nacional e internacional el diseño mexicano.

El debut de esta plataforma, para la temporada primavera-verano 2010, se llevó a cabo en septiembre del 2009, y contó con la participación de marcas como Kris Goyri y TEAMO, de Roberto Sánchez y Rafa Cuevas; más tarde se unirían nombres —en ese entonces nuevos y hoy referentes de la industria— como Paola Hernández y Mancandy. Además, el desfile estaba acompañado por un concurso para nuevos talentos que trajo a la escena a varios diseñadores que siguen activos en la actualidad, como Cynthia Buttenklepper. Pese a ser un evento fructífero, IDM vio su última edición en el año 2011.

Todo bajo un mismo nombre

La primera década del 2000 terminaba con tres plataformas de moda que, si bien, tenían identidades diferentes, inevitablemente dividían a los diseñadores y disminuían la asistencia general a cada uno de los eventos. ¡Era imposible dedicar tres semanas seguidas a eventos de moda! Así que en 2010 Jorge Mondragón y José Manuel Borbolla, de DFashion, se acercaron a Bruno Catori y Raúl González, de Mercedes-Benz, con la intención de conciliar fechas y así crear una competencia sana. El inesperado resultado de esa junta fue una fusión entre ambas plataformas, que se presentó en agosto de 2010 en el Hotel W bajo el nombre de Mercedes-Benz DFashion. La encargada de la producción era

Foto: Desfile de Cynthia Buttenklepper, cortesía de Fashion Week México.

Beatriz Calles, un personaje importantísimo para la industria, reconocida en el mundo de la moda por sus desfiles desde los años setenta y que actualmente sigue activa como parte de la mesa directiva de Mercedes-Benz Fashion Week Mexico City.

Esta unión tomó lo mejor de ambas partes: la experiencia en producción de COLOüRS en el DFashion y el *know-how* del evento de Mercedes-Benz en Alemania. Mercedes-Benz DFashion se estrenó en octubre de 2010, alojado en el Campo Marte de la Ciudad de México. El espacio contaba con dos salas idénticas en las que los desfiles sucedían de manera intercalada. Cada una tenía una pasarela recta y gradas a los lados. El blanco era el lienzo para todos los desfiles, en los que un ligero juego de luces agregaba color. Este evento vio desfilar a diseñadores como Carlo Demichelis, César Franco, Julia y Renata, Lydia Lavín, Pedro Loredo, Alejandra Quesada, Ricardo Seco, Alexia Ulibarri y Malafacha, diseñadores consagrados y emergentes por igual.

Para la siguiente edición, esta joven plataforma dio pasos aún más grandes al traer como embajadora a la *top model* checa Karolina Kurkova y al incluir a diseñadores internacionales, como Jorge Duque y Ángel Sánchez. Además, tuvieron lugar diversas actividades, como el concurso de modelos

Foto: Desfile de Kris Goyri, cortesía de Fashion Week México.

que organizó Oscar Madrazo a través de su agencia, Contempo Models, desfiles de estudiantes de las universidades Jannette Klein, Universidad Iberoamericana y Centro, y desfiles con causa como el de Carlo Demichelis para la Fundación Rebecca de Alba, A.C.

Durante sus siguientes celebraciones, el Mercedes-Benz DFashion dejó atrás el espacio de Campo Marte y exploró lugares, como el Hipódromo de las Américas y la Carpa Santa Fe. Para finales de 2012, el evento ya se había consolidado como la semana más importante de la moda en México, reuniendo a todo tipo de marcas, así como a los mejores modelos, maquillistas, estilistas y fotógrafos. Finalmente, después de adquirir los derechos del registro de Patiño, adoptaron el nombre de Mercedes-Benz Fashion Week México.

El desfile digital

En 2012, mientras la semana de la moda mexicana empezaba a tomar forma, unificándose y apropiándose paulatinamente de los espacios —públicos y privados— de la Ciudad de México, el espíritu global de la moda estaba lleno de promesas tecnológicas, entre ellas *gadgets, wearable technology*, aplicaciones de inteligencia artificial y muchas más. A raíz de esta inercia, Google México, con el impulso de su director de mercadotecnia, Miguel Alva, y la periodista Anna Fusoni, decidió crear la primera plataforma de moda en línea con el fin de apoyar a los diseñadores mexicanos, dar a conocer sus propuestas, y aprovechar las herramientas y los alcances del principal buscador del mundo.

Gracias a esta nueva plataforma digital, se podía disfrutar de diversos desfiles con perspectiva de primera fila a través de una computadora, una tableta o un *smartphone,* en un espacio virtual que reunía tanto a diseñadores reconocidos como a nuevos talentos que utilizaban herramientas como Hangouts de Google+ para exponer sus propuestas. El evento se transmitió en septiembre de 2013 y contó con dos millones de espectadores, reuniendo firmas como Inés Barona, Chabe, Alessandro Alviani, Natalie Amkie, Malafacha, Alfredo Martínez y Sandra Weil. Poco a poco, el formato de la plataforma permitió que se unieran diseñadores desde distintas ciudades a través de Hangouts; tal fue el caso de Rolando Santana en Nueva York, Fhernando Colunga en Londres y César Arellanes en Los Ángeles.

En octubre de 2014, Google+ Fashion presentó a ROSE, una herramienta de diseño digital con la cual marcas como Malafacha, Julia y Renata, Trista y Vanessa Guckel, confeccionaron una colección totalmente virtual. También

Foto: *Backstage* The Pack, cortesía Eugenio Schulz.

agregaron dos tecnologías de Google: Showcase, la cual permitía a los espectadores comprar las nuevas tendencias de moda en Dafiti, una tienda en línea, y Business View, con la cual se podía realizar una visita virtual a la tienda de Julia y Renata.

A pesar de las herramientas tecnológicas que, sin duda, tenían potencial de despuntar a la industria, la audiencia de Google+ Fashion decayó temporada tras temporada y, finalmente, terminó tras la quinta edición en octubre en 2015. La corta vida de esta plataforma nos demostró que, si bien, el desfile de moda es un formato conocido en México, la tecnología no era su mejor aliada. Para el diseñador sigue siendo relevante reunir a ciertas personalidades en la primera fila de su desfile (por ser los asistentes con mayor visibilidad), darles la exclusiva de *backstage* a ciertos medios o tener a ciertas celebridades como asistentes vistiendo con su marca. Todo esto no tenía lugar en el ecosistema digital.

Hacia una nueva visión

Las agencias de modelaje, que en México hacen sus primeras apariciones de manera formal a finales de los años ochenta con Oscar Madrazo, han sido un importante brazo de la industria, al dar un rostro a lo que entendemos por moda y promover al talento nacional dentro y fuera del país.

Hacia la primera década del siglo XXI, las agencias se habían fortalecido y, para 2013, una de ellas decidió extender su propia pasarela. David Souza y Johann Mergenthaler, socios fundadores de Paragon Model Management, tomaron como nombre la palabra maya para vestido: *nook* (pronunciado «noc»), y así crearon un evento de una sola noche que buscaba otorgar visibilidad a la moda nacional ante fotógrafos, editores, empresarios y líderes de opinión; Nook significó también una selección más exclusiva de invitados que pretendía fomentar redes de negocio, es decir, enlazar a diseñadores con empresas o profesionales que pudieran ayudarlos a potenciar su negocio.

Solo cuatro diseñadores eran acreedores a un espacio en cada edición, para desfilar por el Casino Español, la Biblioteca de México, o el Museo de Historia Natural. A lo largo de sus seis celebraciones, personalidades del medio como Kris Goyri, Yakampot, Rolando Santana, Roberto Sánchez, Cihuah y Alfredo Martínez, entre otros, asistieron en repetidas ocasiones

Nook fue un hito que trajo otra visión a la semana de la moda en México, y Mercedes-Benz Fashion Week México supo aprovecharla al incluirla en su calendario de 2014. Para la siguiente temporada, en 2015, una fusión era inminente, y Johann Mergenthaler se convirtió en el nuevo director creativo de la gran plataforma de la moda mexicana.

La apuesta que había hecho Nook por llevar un desfile de moda a distintos puntos de la ciudad continuó con Mercedes-Benz Fashion Week México y, en ese mismo año, comenzaron a llevar a sus invitados a sedes como la rotativa del diario *El Universal*, el Monumento a la Revolución Mexicana, el Hotel Four Seasons, el Acuario Inbursa, la Estación Buenavista, el Comité Olímpico Mexicano, Frontón México, el Bosque de Chapultepec y, por supuesto, el Ángel de la Independencia.

Foto: *Backstage* de Kris Goyri, cortesía Eugenio Schulz.

Foto: Presentación Sánchez-Kane, cortesía Eugenio Schulz.

Fashion Week hoy

El último cambio al nombre de la plataforma de la semana de la moda ocurrió en 2017, como parte de la estrategia del Fondo Mixto de Promoción Turística de la Ciudad de México, uno de sus aliados más importantes. Para ese año, la ciudad estrenaba el nombre que se convirtió en una marca: CDMX, y, al ser la única semana de la moda que no llevaba el nombre de la ciudad que la albergaba, resultaba un cambio sensato. De este modo, nació el Mercedes-Benz Fashion Week Mexico City.

Fue también a partir de esta temporada que inició la sinergia entre las principales plataformas digitales y las marcas para propiciar la venta inmediata de muchas de las prendas expuestas en los desfiles, lo cual cumplía con el cometido real del la semana de la moda: crear un puente entre el diseño y las ventas. Tiendas digitales como Mexicouture de Sara Galindo ofrecían la posibilidad de preordenar las piezas más destacadas de diversos diseñadores, entre ellos Kris Goyri, al terminar el desfile. Recientemente, Amazon, la plataforma de *e-commerce* más grande del mundo, entró al mundo de la moda mexicana con el formato *see now, buy now*, a través del cual es posible adquirir las prendas de manera simultánea en que estas desfilan por la pasarela, en lugar de tener que esperar meses hasta que estén disponibles para su venta.

Hoy, casi 20 años después de que emergiera la primera semana de la moda en nuestro país, Mercedes-Benz Fashion Week Mexico City ha otorgado espacio a 150 marcas en sus 750 desfiles. El evento ha acogido desde diseñadores en formación, provenientes de las principales universidades del país, hasta marcas de talla internacional, como Juan Carlos Obando, Esteban Cortázar y Adolfo Domínguez; hemos visto desfilar desde niños y personas con discapacidad motriz hasta perros, y hemos disfrutado desfiles con música en vivo, cortesía de Nortec Collective, de Elsa y Elmar y de Michael Nyman por igual. Y, con todo esto, es momento de preguntarnos si este formato está cumpliendo su cometido de promover al talento local, de generar industria en torno a la moda nacional, entendiendo el concepto de industria como el flujo de transacciones comerciales: compra-venta. Una prueba rápida para resolver esta duda sería preguntarnos: ¿con cuántas marcas mexicanas estás vestido hoy?

La transformación de la pasarela

POR *Carolina Haaz*

¿Son relevantes las semanas de moda en el presente? La pregunta flota sobre los campos de lavanda en la Provenza francesa que, en junio de 2019, sirvieron como locación para el desfile del décimo aniversario del diseñador francés Jacquemus. La pregunta también flota sobre las cientos de *selfies* que blogueros e *influencers* capturaron en el largo camino trazado sobre la vegetación. Se trata de una gran producción, sin duda. Es un gran *spot*, muy fotografiable. Entonces me pregunto: ¿importa más la colección presentada o los retratos de ella que ahí se multiplican como los peces?

Podría decirse que hay una semana de la moda sucediendo en un lugar diferente, a toda hora, todo el tiempo. Entre las más conocidas están las de París, Nueva York, Milán, Londres, Tokio, Berlín, Madrid, Colombia, Ciudad de México, São Paulo, las de egresados, las independientes, las que solo suceden en internet y un tanto más.

Si está hecho para ser capturado en Instagram, es relevante. Si los nombres más conocidos de la prensa están presentes, también. Si se transmite digitalmente en tiempo real, lo es. Si se generaron imágenes de *street style*, lo es. Si los atuendos logran venderse, lo es. Dicho de otro modo, el evento es relevante si está dispuesto a adaptarse a los tiempos que corren. Así, la idea de pasarela se ha transformado: hoy se concibe como una construcción mediática alrededor de los invitados, dejando de lado la colección, razón por la cual se generan, en primera instancia, estos eventos.

En una entrevista, Jenna Igneri, editora de moda y belleza de la revista estadounidense *Nylon*, no se mostró optimista: «Creo que los *shows* de moda se están haciendo cada vez más irrelevantes con el tiempo. Gracias a la tecnología, cualquiera puede ver una presentación desde cualquier lugar del mundo —a veces en vivo—, de tal modo que el sentimiento glamoroso de exclusividad se perdió hace mucho. Las semanas de moda se han convertido más en un espectáculo dirigido por blogueros, *influencers* y fotógrafos de *street style*, quitándole el foco a las colecciones presentadas».[29]

Este tipo de críticas no son nuevas. Incluso dos años después de que los desfiles fueran reinventados en

Foto: *Backstage* Ocelote, cortesía Eugenio Schulz.

Estados Unidos por Eleanor Lamberg, la gran publicista que creó el legendario Press Week en Nueva York, algún miembro de la prensa reportó con angustia en el *New York Times* que la cantidad de invitados a estos eventos era imposible, desmesurada.

En 2016 la revista académica *Vestoj* reunió a un grupo de *insiders* para conversar sobre el presente de la moda. En el fervor del momento, la estilista Camille Bidault-Washington mencionó: «Ir a los desfiles de moda me provoca un ataque de ansiedad. ¿Has visto la cantidad de fotógrafos afuera? [...] Hay una gran cantidad de personas que asisten solo para ser fotografiadas».[30] Glenn O' Brien (1947-2017), conocido editor de moda, agregó jocosamente: «Fashion Week es ridícula, pero me gusta ir para ver a personas que se odian sentadas en el mismo lugar, pretendiendo que no se odian».[31]

Las afirmaciones del artículo de *Vestoj* se convirtieron en motores de cambio. En la Ciudad de México está el ejemplo de la plataforma Momo Room —a cargo de Monserrat Castera y Mariana Güell—, que ha comenzado a transformar la gramática del consumo con el diseño a la medida de nuevos formatos de promoción y difusión que pretenden sustituir el aburrido formato del desfile de moda. Este camino ha atraído a diseñadores como Bárbara Sánchez-Kane, quien recurrió a los servicios de Momo Room con un *performance* que montó una tortillería exprés al interior de una tienda, en mayo de 2018. O a la joven Paula Grieve, que en varias ocasiones ha dejado en manos de Castera y Güell la exhibición de sus colecciones, como lo hizo en octubre del mismo

29 Bryant, Taylor, «Do Fashion Shows Still Matter in 2018?» en *Nylon*, 8 de febrero de 2018. [En línea] <https://nylon.com/articles/do-fashion-shows-still-matter-2018>

30 Aronowsky Cronberg, Anja, «What's wrong with the fashion industry?», *Vestoj: The Journal of Sartorial Matters*, número 6: On Failure, 2015.

31 *Idem.*

año, en un peculiar evento donde la venta privada sucedía mientras un grupo de personajes detrás de una vitrina cenaba y conversaba, en una especie de teatro experimental.

Y, sin embargo, quizá siempre tengamos la poesía. Es decir, aquella capacidad de construir un *show* que trascienda en la memoria de los clientes potenciales durante más de una temporada. Hacer historia para permanecer en ella; la meta es lograr que un desfile trascienda más allá de la ropa, que se recuerde por todo su concepto.

Pienso en la contundencia visual de un *show* como Plato's Atlantis, título de la colección primavera 2010 de Alexander McQueen. Fue en 2009, un año antes de que el diseñador decidiera acabar con su vida. En un escenario oscuro, dos cámaras vigilaban a los asistentes para luego girar hacia las modelos vestidas en siluetas futuristas. Pero, más allá de los zapatos feroces y las impresiones digitales en los vestidos cortos subyacía la idea de una sociedad que, en tiempos de crisis, construye una civilización debajo del agua. Tal fue el concepto ideado por McQueen.

Con semejante espectáculo, el diseñador británico creó un parteaguas para el futuro de la pasarela; la construcción de la pasarela dejó de ser solo un desfile de modelos, al apegarse, en su lugar, a una historia (la de la ciudad perdida de Atlantis). Y no solo eso, sino que además agregó interacción

Foto: *Backstage* Fashion Week México, cortesía Eugenio Schulz.

digital entre la moda y la tecnología en uno de estos magnos eventos, lo cual abrió nuevas posibilidades creativas para plantear y presentar las colecciones alrededor del mundo.

Aunque no hay respuestas definitivas, está claro que para firmas de alto rango como Gucci o Iris Van Herpen, la construcción de *shows* no escatima en costos tecnológicos ni de producción para lograr transmitir lo que los diseñadores plantean en cada colección que muestran. Un logro evidente es la trayectoria de Karl Lagerfeld (1933-2019) mientras estuvo al frente Chanel; resultaba un deleite ver sus propuestas acompañadas, por ejemplo, de una manifestación a favor de la libertad de expresión (temporada primavera-verano de 2015) o colaboraciones con otras disciplinas, como la arquitectura (temporada primavera-verano de 2012), para completar la intención —e inspiración— visual de la colección.

En fin, queda claro lo siguiente: los desfiles que subsistirán serán aquellos capaces de crear nuevos mundos, altamente expuestos al espectro digital, al grado de convertirse en espectáculos. Ante todo, capaces de contar historias. La pasarela, por lo pronto, sigue de pie.

Carolina Haaz Nació en Hermosillo, en 1989. Es editora de moda y artes en la revista *Bleu & Blanc*. Fue editora de moda en *Fernanda*. Estuvo a cargo de difusión y prensa en el Centro de la Imagen. Anteriormente editó la rama digital de *Código*. Ha escrito sobre moda y diseño de manera independiente para publicaciones como *Arquine*, *La Tempestad*, *192* y *L'Officiel*.

Foto: Desfile Alexia Ulibarri, cortesía Fashion Week México.

Foto: Serie Beatriz Calles por Ramón Arana, cortesía del fotógrafo.

Capítulo Tres

LA NUEVA INDUSTRIA

La formación de una nueva concepción de industria viene de la mano con el inicio de nuevos proyectos creativos que van más allá de la mera venta, para abocarse a la promoción y a enaltecer la bandera del diseño nacional. Llega el momento de reinventarse. La profesionalización, que ya abordamos en capítulos anteriores, fue un paso importante, pero nuevos proyectos como bazares, tiendas, *showrooms* y publicaciones de moda llegan para completar el círculo.

46 47

1008 SP 1290 F3.5 40 .3Ev (4) 75mm ► 4 SI

Foto: Central Campaña Colectiva Diseño Mexicano por Eugenio Schulz Foto de la ciudad por Alejandro Carbajal

Todo diseñador sabe que el trabajo de confección no es suficiente para enaltecer su marca. Las plataformas como Días de Moda o DFashion ofrecieron las primeras respuestas a una necesidad de trabajo colaborativo que va más allá del diseño de ropa en sí, y que tiene que ver con la manera en que la moda se comercializa y se comunica. Así, los diseñadores han establecido lazos y puentes para valerse de nuevos proyectos como bazares, tiendas, *showrooms* o publicaciones que han potenciado la industria desde su área de experiencia. De este modo, surge una nueva generación de emprendedores cuyos negocios impulsan la creatividad y la moda mexicanas.

Bazares

Al inicio del 2000, la gran necesidad de diseño hecho en México, de crear nuevos espacios de venta capaces de llegar a lugares más cotidianos o cercanos al consumidor, dio origen a los bazares. Se trata de un formato de venta que ocurre, por lo general, de manera itinerante y no siempre en las mismas locaciones, y que reúne a varios diseñadores locales para ofrecer

Foto: Primera edición de Colectivo Diseño Mexicano por Alejandra Carbajal.

sus productos al público. De cierto modo, podría decirse que un bazar es como un mercado de moda, donde la gran ventaja es la proximidad con los diseñadores, quienes, en otros formatos, no siempre están tan cerca del piso de venta. Además, los bazares brindan la posibilidad de encontrar piezas únicas o precios especiales. Usualmente son eventos sin cuotas de acceso al público, pero los diseñadores sí pagan por su participación una cantidad relativa al espacio que ocupan, o bien, dan a los organizadores una comisión de sus ventas. La llegada de los bazares implicó una experiencia única de compra, donde los clientes pueden acercarse a productores locales, artesanos o creativos para hablar de sus productos; además, reconfiguró el concepto del mercado sobre ruedas.[32]

El primero de estos proyectos que se hizo conocido en México fue Fusión, creado por Carolina Kopeloff y Manuel Sekkel en 2003, una venta itinerante que, años después, se estacionó en una casona en la colonia Juárez. Actualmente conocida como Casa Fusión, se ha enfocado en la venta de trabajos artesanales, objetos *vintage* y productos ecológicos. Posteriormente se integró Tráfico Bazar, el cual, hasta la fecha, tiene lugar en el Centro Gallego en la colonia Roma y se ha realizado incluso de manera mensual.

En 2010, Carmen Ortega, Mariana Aguilar, Joanna Ruiz y Gina Barrios replantearon el concepto de bazar que se tenía hasta el momento, proponiendo un espacio dedicado estrictamente a la promoción del diseño hecho en México. Bajo esta idea nace La Lonja Mercantil, caracterizada por poseer una selección que reunía a lo mejor del diseño de moda, joyería, calzado y diseño industrial, el cual vivía un momento muy fructífero. Después de un par de años, aunque el proyecto sigue en pie, las cuatro socias iniciales se separaron, lo que propició, por parte de una de ellas, el surgimiento de nuevos proyectos, de los que hablaremos adelante.

Fue entonces que apareció el bazar Nómada, en un esfuerzo por contribuir a la «naciente industria». Another Company, agencia de relaciones públicas, fundó esta plataforma de venta en abril de 2013 dentro del Corredor Cultural Roma-Condesa, un evento creado por la curadora Ana Elena Mallet. Nómada

---

32 Los mercados sobre ruedas son mercados callejeros e itinerantes. En el ámbito de la indumentaria y específicamente en México están más ligados a productos de segunda mano que se traen de Estados Unidos y que tienen su formación en la zona fronteriza. Si dejamos de lado a la ropa, México, para finales de los años sesenta, creaba un concepto de mercado sobre ruedas, apoyado por la Secretaría de Industria y Comercio donde productores locales vendían alimentos a costos más bajos para incrementar sus ingresos.

logró que diseñadores y marcas como Paola Hernández, María Vogel, Alejandra Quesada y Sangre de mi Sangre encontraran más puntos de exposición y venta para su trabajo, evitando así la formalidad de las *boutiques*.

Posteriormente, Gina Barrios desarrolló el proyecto Lago, bajo la misma idea de difundir y promocionar el diseño mexicano. Lago se compone de dos tiendas en Polanco (Lago y Laguito), y dos bazares (Mercado Lago y Mercado Escondido) enfocados principalmente a indumentaria y joyería.

A finales de 2016 surgió Colectivo Diseño Mexicano (CDM), que en principio nace como un espacio itinerante con la premisa de impulsar la compra-venta de producción local a través de piezas de diseñador de colecciones previas o saldos en descuento. Para 2017, CDM logra consolidarse como una promotora de diseño nacional al establecer un acuerdo con la organización de Mercedes-Benz Fashion Week Mexico City para presentar una pasarela colectiva con diversos diseñadores que nunca antes habían sido partícipes en el seno de esta plataforma.

El formato de venta del bazar no se ha limitado a la Ciudad de México; en el resto de la república, esta idea también ha alcanzado su apogeo. En Querétaro, por ejemplo, está el bazar Oriunda, y en Guadalajara, las diseñadoras Julia y Renata Franco son anfitrionas de Albergue Transitorio.

Ferias

Para finales de 2015, el bazar pasó de ser una idea innovadora a una tradicional. Las nuevas interpretaciones dieron un giro al crear plataformas de compra-venta más robustas, con estructuras y formatos similares a los de una feria: una presentación ante grandes compradores y medios de comunicación, compradores internacionales, un calendario más extenso y —en el caso de la feria Caravana Americana— la inclusión de proyectos de otros países de la región, siempre conservando la venta al consumidor. El componente diferenciador es la presencia de grandes compradores y la duración de estos eventos. Por lo general, los bazares duran dos días, mientras la feria transcurre durante tres o cuatro días; de ellos, los dos primeros contemplan actividades cerradas para compradores a gran escala y medios de comunicación, en tanto que los últimos están dirigidos al público en general.

En 2016, Gina Barrios y Alessandro Cerutti idearon la primera feria en la Ciudad de México: Caravana Americana, un evento cuyo distintivo es la inclusión de propuestas de diseño de varios países de Latinoamérica. En total, los fundadores han logrado trabajar con un conglomerado de casi 500 marcas de la región. Ese mismo año, y bajo el mismo concepto de feria de diseño, Carmen Ortega y Joanna Ruiz, las dos socias restantes de lo que ahora se conoce como La Lonja Mx, instauran Atalaya Design Fair, otro evento de diseño que pretendía adquirir un formato más robusto que el de los bazares, además de enfocarse en su mayoría al diseño mexicano y presentar una amplia propuesta de diseño industrial. Para 2019, Atalaya anuncia la suspensión de su edición anual debido a la imposibilidad de conseguir el financiamiento necesario para su realización.

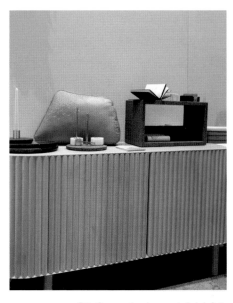

Foto: Caravana Americana, cortesía de la feria.

Si bien, cada uno de esos proyectos buscó diferenciarse de los demás, conservando filosofías distintas, el público terminó por encasillarlos dentro de una misma categoría. Así, a principios de 2018 inició un ocaso en el mundo de las ferias y los bazares. En la Ciudad de México, por ejemplo, la cantidad de eventos de moda itinerante que ocurren cada fin de semana es tan grande, que incluso podría hablarse sobre una saturación del mercado. Más aún, todos presentan, en términos generales, el mismo formato: una mezcla de diseñadores nacionales que venden sus productos junto con un espacio menor de oferta gastronómica. Adicional a esto, el circuito de diseñadores suele repetirse evento tras evento, lo que realmente no ofrece al consumidor la variedad que originalmente buscaba al acudir a estos eventos.

Así, el periodo que abarca este libro culmina con la celebración de más de un bazar cada fin de semana en la Ciudad de México; y aunque la asistencia continúa y la participación de diseñadores persiste, los números han decrecido. La inmediatez que ofrece internet hace pensar que una forma y más efectiva de acercar el producto a la gente es a través las ventas *online*, que, al mismo tiempo, ofrecen una nueva experiencia de compra.

La Asociación Mexicana de Venta Online (AMVO) publicó durante el primer trimestre del año el Estudio sobre Venta Online México 2019, donde se refleja un incremento de las compras en línea en el público mexicano. Entre 2017 y 2018 la frecuencia de compra *online* aumentó de 7% a 38%; sin embargo, el 78% de las personas que participaron en el estudio declaró no comprar a través de

Foto: Tienda Lago, cortesía de la tienda.

internet por el placer de visitar una tienda física, mientras que el 77% dijo no querer arriesgarse a un fraude electrónico.

Estos datos representan una breve radiografía de la evolución del mercado de la venta en línea; y aunque parecieran ser alentadores por lo menos en cuanto al crecimiento en la frecuencia de compra del mexicano por internet, la pregunta es: ¿el mercado local está respondiendo a este cambio? ¿Es pronto para saberlo? ¿Estamos preparados? Posiblemente no del todo. Al día de hoy (2019), aún existe una brecha por superar en cuanto a las compras por internet, debido, entre otros factores, a la falta de acceso y uso de servicios financieros formales por una parte importante de la población,[33] el temor a un fraude electrónico y el gusto del consumidor por visitar tiendas físicas. Y aunque no hay estudios que profundicen a qué se debe la preferencia del consumidor por asistir a las tiendas, podemos intuir que, más allá del factor financiero, el modelo de venta en espacio físico se ha arraigado durante tanto tiempo que, inevitablemente, tomará tiempo migrar a una nueva modalidad. Además, en materia de vestimenta, la gente puede preferir probársela antes de pagarla, a pesar de que hoy en día algunos de los *retails* de ropa en línea incluyen el servicio de devolución en caso de elegir la talla equivocada.

Es cierto que se han buscado otras formas de facilitar el comercio electrónico, como los pagos en tiendas de conveniencia, pero los datos que presentamos arriba distan mucho de ser un aliento para pensar que la compra en línea será una opción en niveles de consumo masivo, por lo menos en los próximos años.

Tiendas

Las *concept stores* han sido también un punto de encuentro para el diseño mexicano. Históricamente, las tiendas enfocadas en el diseño local iniciaron con pequeñas *boutiques* como Fashion Lovers y Lemur, en la colonia Roma de la Ciudad de México. Esto significó una nueva experiencia de compra, en la que el consumidor encontraba un espacio donde tendría un mejor acercamiento a una selección de marcas de diseño mexicano reunidas bajo un mismo techo.

Estos espacios también fueron importantes para la rehabilitación de la zona. Luego del sismo del 85, el resurgimiento de la Roma se logró, en gran

---

33 En otras palabras, la bancarización, que entre 2015 y 2018 no creció en México, por lo que ambos años cerraron con el mismo porcentaje (68%). Ver: Encuesta Nacional de Inclusión Financiera 2018. Presentación de resultados. INEGI.

parte gracias a que la creatividad encontró en esa colonia un espacio para la expresión, situación que concentró a muchos proyectos enfocados en diseño, gastronomía y moda. A su vez, esta bandada de industrias creativas buscaba revivir la zona tras la tragedia y el eventual desplazamiento de la gente del área. La colonia se reactivó a principios de la década de los 2000, con un sentimiento bohemio que años después sería bautizado como *hipster*.

La concepción de lo *hipster* está muy relacionada con la vestimenta. Las tiendas de las que hablaremos en este apartado ayudaron a conformar esa concepción. Presentadas por zonas, estas son algunas de ellas, las cuales destacan por promover el diseño hecho en México.

COLONIA ROMA › La calle de Colima concentró a los *spots* de diseño nacional. Allí nació Lemur, mencionada anteriormente; también hay lugares como 180 Shop, hogar recurrente de nuevas propuestas, principalmente de marcas de ropa, accesorios y joyería.

Fashion Lovers, a quien ya también hemos señalado, ha sido un espacio pionero en la zona. Se encuentra en un pequeño local de la avenida Álvaro Obregón; tiene una imagen que, a simple vista, luce muy setentera, y que, en algunos casos, permea la sección de las prendas que ofrecen a venta. Recientemente, se agregó Happening Store en la calle de Tabasco, tienda que inauguró su primera sucursal previamente en el barrio San Ángel. Esta última se caracteriza por ofrecer productos de diseño y decoración con prendas de vestir, accesorios y joyería, así como algunos productos de higiene personal. Todo hecho en México, tanto para mujeres como para hombres y niños.

POLANCO › Ubicada en el corazón de Polanco, Common People se posicionó como la sucesora de la tendencia que, en la colonia Roma, explotó con la creación de tiendas que ofrecieran marcas de diseño nacional, aunque también comparte escaparates con marcas extranjeras.

Concha Orvañanos y Eduardo Dubost abrieron IKAL en Polanco, una tienda que ha tenido bastante éxito entre el sector turístico. Mismo es el caso de The Feathered y Stendhal, las cuales ofrecen productos de diseño nacional, cada uno con estilo, una selección y curaduría diferente, y de las tiendas de Lorena Saravia, Sandra Weil y Raquel Orozco, tres diseñadoras con un papel de suma importancia durante los últimos diez años en la industria la moda mexicana.

También en Polanco se encuentra Lago de Gina Barrios, que posee una selección de productos mexicanos y latinoamericanos para hombres y mujeres, con un *corner* amplio de diseño para niños.

SANTA FE › La descentralización se hizo notoria con opciones como Cañamiel en Santa Fe, dentro de Park Plaza, negocio dirigido a un público con mayor poder adquisitivo. La tienda ofrece diseño mexicano y latino, pero con una curaduría diferente a la que caracteriza los productos de la Roma o Polanco. Su principal *target* son las mujeres; el espacio luce una decoración más lujosa, prendas de marcas más costosas y un estilo más bohemio que se aleja un poco del concepto *hipster*.

COLONIA JUÁREZ › La efervescencia de la colonia Juárez acoge a Caballería —enfocada en el mercado masculino—, y a la recién fundada Filia en la calle de Berlín —poseedora de una selección más alternativa de prendas y accesorios—. La Juárez también alberga a la nueva tienda de Carla Fernández, cuyo concepto presenta lazos entre el formato de *showroom*, tienda y taller. En los tres pisos de este edificio se integran el área de venta, dos residencias para artistas, artesanos, diseñadores y editores, espacios para ofrecer talleres y una terraza para alojar distintos eventos.

CENTRO HISTÓRICO Y CUAUHTÉMOC › Aquí encontramos opciones como Serendipia y Shops Downtown, populares en el sector turístico por ser de las pocas tiendas en esa zona con una oferta de diseño mexicano que se aleja de lo artesanal. Por su parte, Taxonomía es un *hotspot* que combina moda, joyería, accesorios, ropa para niños y productos de cuidado personal hechos en México y diseño industrial; está ubicado en la colonia Cuauhtémoc, dentro del Hotel Carlota.

INTERIOR DE
LA REPÚBLICA › En Guadalajara también existen espacios que han acercado el diseño a la metrópoli del occidente del país. Resaltan tiendas como Anthiope (muebles y decoración), Empathy (indumentaria, accesorios y algunos productos de cuidado personal y belleza de costos más elevados) o Nimia (que combina accesorios, prendas de vestir, libretas, lápices y objetos de decoración con un estilo más llamativo y alternativo). En ciudades como Tulum y San Miguel de Allende, donde la derrama turística es mayor, también se reúnen propuestas de marcas mexicanas; la *boutique* KM33, centrada en moda e indumentaria, por ejemplo, tiene sedes en ambas ciudades, al igual que en Punta Mita y Los Cabos.

La oferta de tiendas con productos de diseño nacional ha crecido en los últimos años; prueba de ello es la extensa lista que encontrarás en el segundo apéndice de este libro, como parte de nuestro directorio. Este hecho ha otorgado una mayor oferta al consumidor, lo que, a su vez, ha generado una mayor demanda e interés por parte del público. Y aunque la exhibición y venta representa una fuente de ingreso y generación de transacciones —y por ende, un impulso para la industria—, el modelo de negocio de las *concept stores* basado en la consigna muchas veces resulta desfavorecedor para los diseñadores. Bajo este formato, los diseñadores tienen un inventario pasivo; es decir, no tienen a disposición inmediata sus diseños, en un sistema en el que, además, los tiempos de corte y pagos suelen ser largos y los porcentajes de la consigna, altos. En este sentido, las tiendas dan visibilidad: representan una vitrina de exposición y acercamiento al público con miras a un alcance más grande, pero no siempre son un buen negocio para las marcas económicamente hablando. Quizá sea este último punto el que detona la proliferación de los *showrooms*, un formato donde el diseñador tiene mayor control de su inventario y no hay comisiones altas de por medio.

Foto: Empathy Store en Guadalajara, cortesía Eilean Brand.

Foto: Showroom Another Company, cortesía de la agencia.

Showrooms

En 2015, *British Vogue* publicó *Future of Fashion,* un documental que especulaba sobre el futuro de la moda en Londres. En una conversación, la diseñadora Molly Goddard hacía una reflexión sobre la forma de exponer sus colecciones, que poco tenía que ver con un desfile; se trataba de algo más exclusivo que funcionaba para su marca: el *showroom*. A raíz de ello, el concepto de *showroom* se esparció por Inglaterra y, posteriormente, por distintas ciudades en el mundo. En las últimas dos décadas, las marcas comenzaron a abrir las puertas de sus *showrooms* para recibir clientes que buscan una experiencia de compra más íntima, en la que pueden hacer pedidos sobre medida, conocer las nuevas colecciones y ver de cerca los procesos de creación del diseñador, ya que algunos *showrooms* están ubicados en las oficinas o talleres de la marca.

Alfredo Martínez en Guadalajara y Cynthia Buttenklepper en la Ciudad de México han creado espacios que materializan el universo de cada una de sus marcas en un lenguaje de diseño. Alfredo Martínez, por ejemplo, refleja el refinamiento y la feminidad de su firma en un *showroom* donde predomina el color rosa palo, tanto en los muros como en los sofás aterciopelados y hasta en la

Foto: Portada de la revista *BadHombre*. Yalitza Aparicio con el estilismo de Nayeli de Alba y fotografiada por Jesús Soto. Cortesía de *BadHombre*.

alfombra. Cynthia Buttenklepper, por su parte, traduce la esencia minimalista de su marca en su *showroom* ubicado en la colonia Roma, perfectamente acondicionado para que su séquito de clientas fieles se sientan cómodas al hablar de su próximo pedido. Por supuesto, en este espacio no pueden faltar las flores, parte del lenguaje característico de Cynthia.

Una de las ventajas del *showroom* frente a las tiendas o los bazares es que son el lugar propicio para que los medios especializados en moda conozcan de cerca los proyectos más recientes de los diseñadores, quienes los reciben justo en el lugar donde ocurre el proceso creativo. También están los *showrooms* creados por las agencias de relaciones públicas y que reúnen a varias marcas. Esta tendencia inició en 2013 por la agencia de comunicaciones y relaciones públicas Another Company, al implementar dentro de sus oficinas un espacio para que las revistas y medios especializados en la industria pudiesen interactuar con las marcas de moda con las que la agencia colaboraba; además, Another Company incluyó dicho espacio como un complemento de su proyecto de bazar Nómada. El objetivo era gestionar las relaciones públicas de los diseñadores y hacer préstamos editoriales. A esta corriente se sumó Gerard Angulo, quien creó Step on Fashion, una agencia de PR y *branding* especializadas en el trabajo con marcas de moda. A su vez, T. Huxley, agencia creada por Teffa González y Giuliana Favaretto, hace lo propio en el *showroom* instalado dentro de sus oficinas.

Este último formato de showroom —insertos dentro de agencias de comunicación y relaciones públicas— no funciona como punto de venta, únicamente tiene la finalidad de promoción y acercamiento con la prensa. Generalmente, estos espacios conglomeran a más de un diseñador o marca, a diferencia de los *showrooms* de los diseñadores, cuyo foco principal es la atención a posibles compradores, de modo más íntimo y personalizado.

Nuevos medios de difusión

El círculo de la promoción e impulso de la moda nacional en los últimos 20 años se completó con la aparición de publicaciones independientes que hicieron más que contar historias, al interpretar el ejercicio de toda una escena a través de textos y fotografías que han atrapado momentos importantes para la memoria de la moda en México. Y más que ser simples guías de compra y venta de las propuestas locales, apostaron por un trabajo documental de lo que estaba ocurriendo en torno a la industria en nuestro país.

Desde los ochenta y noventa, publicaciones internacionales como *Vogue* se establecieron en el país. Sin embargo, estas no le hablaban a un público mexicano que quería descubrir —y entender— las tendencias creativas por las que atravesaba su ciudad, sino que replicaban lo que pasaba en otros países y hablaban más de marcas extranjeras que de marcas locales. De ahí nació el ideario para lanzar publicaciones como la revista *Código 06140*, *La Tempestad*, las extintas *Spot*, *Celeste* y *Baby, Baby, Baby*, títulos que conjugan disciplinas artísticas y creativas y que, de vez en cuando, tenían un diálogo con la moda.

Pero no fue hasta 2008 cuando aparecieron las publicaciones dedicadas enteramente a hablar de moda. Tal es el caso de la revista *192*, creada por Danae Salazar y la fotógrafa Fabiola Zamora. Desde sus inicios, el proyecto se caracterizó por sus ensayos fotográficos y sus textos que analizaban el entorno inmediato en la industria de la moda, los cuales se desplegaban en 192 páginas, lo que dio origen al nombre de la revista; *192* inició como una entrega bimestral, para después pasar a ser una especie de libro de colección semestral.

Mientras tanto, en otra oficina de la colonia Roma, la versión mexicana de *Nylon* comenzaba a fortalecer una corriente alternativa de moda y belleza; la revista albergó y afirmó el trabajo de fotógrafos, *stylists* y diseñadores que se inclinaban en esa dirección tan poco convencional de comunicar la moda.

Al año siguiente, en 2009, da inicio un movimiento que revolucionó la manera de comunicar: los blogs. Fue aquí cuando surgió *Coolhunter*, a través del cual los editores Cecilia Palacios y Ebani Reyes reportaban el *street style* mexicano. Diez años después, el blog se transformó en el único medio digital en nuestro país que ha reportado disciplinas creativas como el diseño, el arte, la arquitectura o la gastronomía.

Entre 2012 y 2014 surgieron varias publicaciones de moda, entre las que sobresalen la revista *Pánico* y *Gxrrrl*, su versión femenina, ambas dirigidas por Tony Solís, así como MEOW, a cargo de Olivia Meza. *Pánico* destacó por siempre presentar temas de interés personal de sus colaboradores bajo un ojo crítico; MEOW, por su parte, ha buscado comunicar un lado más fresco, inteligente y contemporáneo de la moda.

En conjunto, estas nuevas plataformas (tiendas, *showrooms*, bazares, ferias y medios de comunicación) han contribuido a la creación de un concepto de industria más robusto que, además de promover la compra-venta de diseño nacional, también contribuye a reconocer el papel fundamental de actores que no solo se enfocan en el diseño, sino en los demás aspectos del mundo de la moda. Una pieza que existe en la mente de un diseñador no puede materializarse sin su equipo de producción; sin un publirrelacionista que la muestre

Foto: Portada de la revista *Nylon México* fotografiada por Tony Solis. Cortesía del fotógrafo.

en su *showroom* no podría llegar a la revista adecuada para comunicar su línea estética, o al punto de venta en el cual dicha pieza pueda entrar en contacto con compradores potenciales, así se trate de tiendas o bazares. Todos estos son formatos que han probado ser eficaces en las últimas dos décadas; sin embargo, será fundamental su adaptación a los cambios en la manera de consumo de los futuros compradores. Como suele suceder en el ciclo de la moda, el encanto dura solo algunas temporadas.

Sobre la metamorfosis de la moda mexicana

POR *Emiliano Villalba*

Evolución. Esta palabra implica la transformación de un estado (de conciencia, de ánimo, de idea...) a otro. Mercedes Sosa lo anunciaba con su canto: «Todo cambia y que yo cambie no es extraño». Sin embargo, algunas transformaciones ocurren de manera tormentosa, tal como sucede con los personajes de Buñuel *en El ángel exterminador*. A veces no es tan malo; otras mutaciones, por el contrario, sedan de manera casi imperceptible y, cuando por fin logran advertirse, ya están hechas.

La moda mexicana es ejemplo de cambios que ocurren de manera gradual. Definitivamente, la naturaleza inestable de esta disciplina y las constantes vicisitudes y circunstancias alrededor de ella provocan que las tenencias de hace seis meses no sean las mismas que las de «ahora» y

Foto: Desfile de Alfredo Martínez en el Monumento a la Independencia. Cortesía Fashion Week México.

estas, a su vez, sean distintas a la que se adopten en el futuro. La mutación de la moda es un proceso innegable, y depende de un contexto específico para que la incite a cambiar de forma con el pasar del tiempo.

¿Cómo es que se recrea el pasado en un contexto presente? Sin duda con documentos y testigos. En la moda mexicana, una pieza clave para comprender, analizar y rememorar la evolución de la industria es la obra de Beatriz Calles. Bea, como le dicen sus amigos, es una mujer fuerte y alerta que ha presenciado una parte importante de la evolución de este ecosistema. Su carrera llena de experiencia —y por supuesto, sabiduría— es reflejo no solo de su pasión por México, sino también una muestra de su capacidad para adaptarse a las circunstancias económicas, políticas, sociales y culturales que, de algún modo, han permeado y transformado nuestro contexto como una industria en vías de desarrollo.

Pero, ¿quién es Beatriz Calles? Decir que ha sido un testigo de cómo la moda en México se ha construido es limitarla. Su experiencia, directa o indirectamente, recae en el apoyo constante a los diseñadores y la forma en la que han logrado exponer su trabajo. A lo largo de sus 50 años de carrera, Beatriz fue pionera en la creación —y producción— de la idea de desfile en México. La pasarela se convirtió en el motor con el que empujó no solo las carreras de los diseñadores y joyeros de México, también de las modelos que participaron en cada desfile. Para principios del nuevo milenio, Beatriz trabajaba para el Fashion Week, en compañía de diseñadores como Macario Jiménez y Julia y Renata. Pero el eco que ha formado Beatriz no solo tiene que ver con los diseñadores locales, sino también con nombres de calibre internacional como Monsieur de Givenchy, con quien trabajó en París.

Con toda su historia, Beatriz se ha convertido en una fuente inagotable de información que abarca desde la manera en que las marcas de moda mexicanas dominaban y vestían a todos los mexicanos antes del Tratado de Libre Comercio (TLC) de 1994, pasando por el estancamiento de los diseñadores mexicanos a principios del milenio debido a la distribución y globalización de marcas extranjeras, hasta el resurgimiento de lo hecho en México y el renacimiento de una comunidad de moda conformada no solo por diseñadores, sino por productores, periodistas, maquillistas, estilistas y un sinfín de personas que hacen que la industria de la moda se considere, en efecto, una actividad económica estable y generadora empleos, así como un gran derrame económico no solo local, sino nacional.

Si bien, la moda de antes no es igual a la de ahora, sigue compartiendo ciertas similitudes, lo cual es

Foto: Retrato de Beatriz Calles por Luis Meza. Cortesía del fotógrafo.

este modo, los diseñadores, maquillistas e incluso los escritores ven a sus marcas e incluso a ellos mismos como una empresa.

La pregunta, entonces, está sobre la mesa: ¿cuáles son las vías para que un diseñador de moda mexicano pueda constituir su labor como un negocio y, en consecuencia, vivir de él? Sin duda, la profesionalización ha sido y constituye hoy en día un factor clave para que la moda mexicana se conciba como industria. Aun así, la forma en que los consumidores entienden la moda es determinante para que sus personajes generen el sentimiento de industria que tanto se ha comentado.

La evolución conlleva a veces situaciones de crisis, estancamientos e incluso cambios de rumbo inesperados. ¿En qué momento estamos actualmente? Supongo que la industria de la moda nacional aún está en vías de autoconocimiento; no obstante, aún falta camino por recorrer. Se necesita entender que un diseñador de moda no es una persona famosa y que, si lo es, se debe a su trabajo.

Este es un momento histórico para la moda, representa una etapa a partir de la cual sus creativos deben trabajar para generar un futuro, si bien, no utópico, diferente al de ahora. México posee actualmente una

un punto interesante. «Los diseñadores de antes eran todólogos. Ahora, sin embargo, los creadores no podrían serlo, y no porque no quisieran, sino porque en esta época una marca de moda funciona de manera diferente y las rutinas actuales son otras. Hoy un diseñador profesional tiene un equipo que se encarga de distintas áreas específicas. Una marca de moda no es un pasatiempo individual», comenta Beatriz.[34] Así, uno de los cambios importantes en nuestro camino como industria es la manera en que actualmente los creativos vislumbran su trabajo: un negocio. De

34 B. Calles, entrevista personal, 2019.

industria de la moda, quizá mejor constituida que ayer, aunque menos desarrollada que mañana. Pese a ello, los tiempos que corren son perfectos para dar paso a una metamorfosis que en 50 años estaremos recordando con nostalgia.

Emiliano Villalba — Coeditor del suplemento semanal De última de *El Universal,* dedicado a la moda y las tendencias. Su línea de investigación se enfoca en el periodismo especializado y su relación con la industria de la moda. Ha colaborado en medios como *i-D México*, *L'Officiel México*, *Revista Código* y *Harper's Bazaar México* y *Latinoamérica*.

Foto: Tienda Lago, cortesía de la tienda.

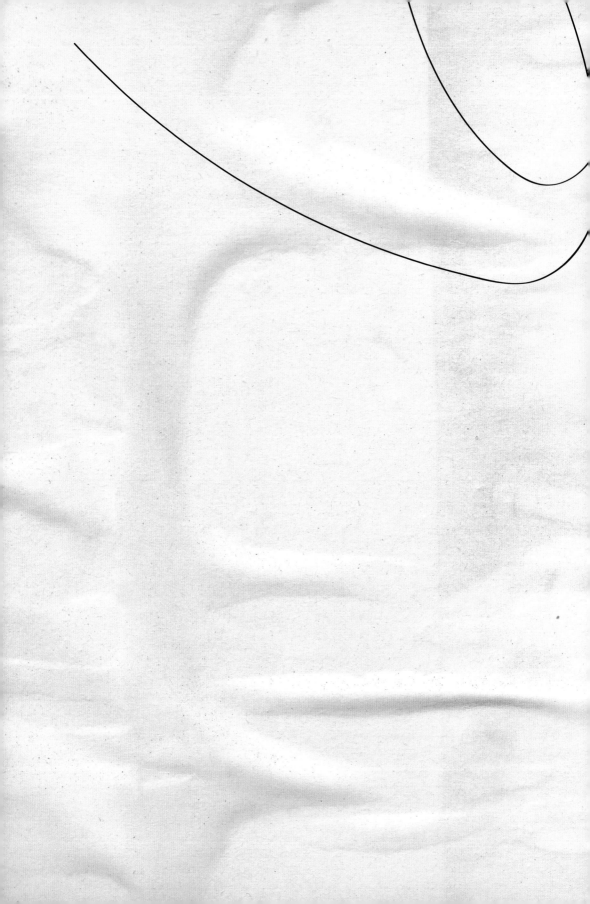

Segunda parte

Capítulo Cuatro

BELLEZA MEXICANA

Cuerpos estilizados y delgados, pieles perfectas y un caminar distinguido. Un sueño que para la mayoría parece inalcanzable. ¿Es esa la única concepción de belleza? La respuesta inmediata es un absoluto no. Pero ¿qué hay más allá de los modelos de una pasarela?

Foto: Beauty Alejandra Infante por Eduardo García, cortesía del fotógrafo.

La moda no tendría una identidad palpable sin la existencia de los modelos, los cuales se transforman en un vehículo para comunicar la idea creativa de los diseñadores al portar sus piezas. Los modelos ayudan a continuar la línea estética de cada colección, y es por eso que existen marcas o diseñadores que eligen musas o embajadores, al identificarse con un rostro específico para que represente su concepto estético.

Un modelo es una mujer o un hombre cuya labor consiste en mostrar y promover las piezas que crea una marca: ropa, zapatos, accesorios, incluso maquillaje. Sin estos actores difícilmente podría comunicarse la función de esas piezas, pues al final se trata de creaciones diseñadas especialmente para el cuerpo humano.

Los modelos son representados por agencias, instituciones que fungen como el contacto entre modelos y clientes, además de ofrecer apoyo a modelos extranjeros para asentarse en nuevas ciudades y estar en una búsqueda constante de nuevos talentos para incluir en su agencia. En México, algunas de las principales agencias son Paragon, Wanted & Bang, New Icon, Contempo, Queta Rojas, Capital Model, MM Runway, GH, In The Park y Güerxs: una lista larga,[35] compuesta por agencias que normalmente se enfocan, cada una, en perfiles distintos (GH Management, por ejemplo, se enfoca más en los modelos internacionales, mientras que Güerxs se ha destacado por una selección de perfiles más representativa de la diversidad estética que hay en México).

Foto: Jaydy Michel por Fernando Poil, cortesía de Fashion Week México.

¿Cuál sería, entonces, la función de un modelo? El término *modelo*, como tal, viene de buscar un «estándar» para mostrar cualquier producto. Sin embargo, es precisamente este propósito el que, de cierto modo, implica la imposición de un estereotipo de belleza, lo que ha generado controversia a lo largo de los años en el mun-

---

35 Puedes consultar los detalles de estas agencias en el directorio de servicios.

do del modelaje. Históricamente, las personas elegidas para este papel representaron una talla, una altura o una edad específicas, en lugar de demostrar la variedad anatómica que puede existir entre los clientes potenciales.

Lejos de eso, el modelaje tiene que ver con el desarrollo humano, con la percepción que se tiene del cuerpo y con la psicología misma al pensar en la estética como un reflejo del individuo. Actualmente, los ideales de belleza se han cuestionado y replanteado; sabemos que el verdadero poder de un modelo no está cien por ciento en su físico, sino en la personalidad que refleja en su trabajo. De ahí que el mundo de los modelos, contrario a lo que se cree, tenga más que ver con la comunicación, con la concepción de moda como una expresión artística y, también, con el poder de impulsar cambios sociales y de transformar las ideas que se tienen sobre la imagen y el cuerpo.

México tiene una característica particular cuando se habla de las caras de la moda: la diversidad de cuerpos y tonos de piel. De la misma manera que no podemos hablar de un arquetipo de la moda mexicana, es difícil encasillar ciertas cualidades físicas como «la belleza mexicana». Históricamente, sus referentes son personajes como Carmen Campuzano, Mónica Manzutto y Glenda Reyna; estas mujeres simbolizaron un importante florecimiento del modelaje en México durante la década de los ochenta y parte de los noventa, épocas que estaban embelesadas con modelos un tanto curvilíneas y de rostros muy simétricos.[36] Modelos como Brooke Shields, Iman, Cindy Crawford, Claudia Schiffer y Naomi Campbell protagonizaron desfiles y campañas internacionales y ayudaron a forjar el concepto de *top model,* un ideal de modelo superexitosa, cuyo rasgo más distintivo era la sensualidad femenina. Este estereotipo cambió con la llegada de la británica Kate Moss, cuya belleza definió el estilo *waif,*[37] un término utilizado en la industria para describir a las mujeres de silueta muy delgada y alargada.

En esa misma década, modelos mexicanas como Elsa Benítez y Jaydy Michel empezaron a conquistar el campo internacional; Elsa fue la primera modelo mexicana en aparecer en la portada de la revista *Vogue Italia* cuatro veces en el mismo año (1996). Jaydy, por su parte, se mudó a España para afianzar aún más su carrera como modelo. En el territorio nacional, para 1999, Laura Reyes, Celina del Villar y

---

36 Contrario a la tendencia actual, la cual considera ciertas rarezas un gran atractivo: cejas muy pobladas, nariz o labios prominentes, diastemas (separación de los dientes), o incluso el albinismo y el vitíligo.

37 *Waif* es un término que en inglés se usa casi de manera despectiva para referirse a los niños con desnutrición.

Martha Cristiana se habían convertido en las principales modelos en los desfiles y campañas de diseñadores mexicanos, como Keko Demichelis. A su vez, la vida personal de las modelos comenzó a acercarlas de manera gradual al mundo del espectáculo. La relación de Carmen Campuzano con el actor Andrés García o la de Celina del Villar con el músico Benny Ibarra las convirtió en figuras públicas y, poco a poco, sus apariciones en el mundo de la moda disminuyeron, al inclinarse más por la actuación o por la conducción de programas de televisión.

De aquel tiempo que arrojó las primeras caras que dieron visibilidad y reconocimiento formal a la industria de la moda, poco se vislumbra hoy. Las modelos más consagradas de entonces pusieron un punto final a su carrera de modelaje, aunque no de manera oficial. Simplemente se detuvieron. Pronto aparecieron las primeras sucesoras, como Liliana Domínguez, modelo originaria de Chihuahua que, con escasos 15 años de edad, en 1997 se mudó a Londres y protagonizó campañas de grandes diseñadores internacionales, como Tom Ford. Hoy también se encuentra retirada.

El ideal de modelo en México tuvo una transición interesante. Así como el *look* exuberante de los ochenta se transformó en un *look* más desgarbado en los noventa y los 2000, la siguiente década (a partir de 2009) adoptó una imagen jovial: las modelos ya no aparentaban madurez; al contrario, muchas de ellas aún tenían un rostro infantil. Eso dio paso al éxito de nuevos caras, como Cristina Piccone, Issa Lish y Alejandra Infante, modelos que reúnen ya diez años de carrera y continúan sobre las pasarelas.

Sin embargo, esta búsqueda por rostros cada vez más jóvenes destapó un problema serio en 2017: el empleo a modelos menores de edad. Este tema lo padecieron principalmente las capitales de la moda (Nueva York, Londres, Milán y París), quienes rápidamente tomaron cartas en el asunto y dejaron de contratar a chicas menores de edad. A partir de ahí comenzaron a cuestionarse muchos cánones estéticos que prevalecían en el mundo del modelaje, sobre todo en Europa. Las conversaciones en torno a la edad y los desórdenes alimenticios encontraron cada vez más voces que hicieran eco, como sucedió con la modelo y activista inglesa Charli Howard, quien, después de ser despedida por su agencia por «ser grande», inició una campaña a favor de los cuerpos curvilíneos.

Movimientos como este iniciaron un cambio en la percepción general de la belleza, y promovieron la aceptación de distintos rasgos únicos en las modelos, como frentes prominentes, cejas pobladas, nariz aguileña, diastema (separación en los dientes frontales), características distintas en la piel, como el albinismo o el vitíligo, o incluso los rasgos andróginos. Esta tendencia, aunada a las redes sociales, dotó de voz a los modelos y permitió conocerlos más allá de su apariencia.

Este fue el preámbulo al esquema que vemos hoy: los modelos son reconocidos y admirados, si bien, no al mismo nivel de las celebridades, sí al grado de gozar un reconocimiento importante, como puede evidenciarse por los miles —e incluso millones— de seguidores en redes sociales con los que cuentan algunos de los modelos más importantes de la actualidad.

Esta nueva fascinación por los rasgos únicos de belleza fue bien acogida en México, donde las nuevas agencias, como Paragon, New Icon y Wanted, comenzaron a buscar personajes con cualidades singulares. Así, la década de 2010 resultó fructífera en la exportación de modelos mexicanas con rostros memorables, como Cristina Piccone, Issa Lish o Mariana Zaragoza, quienes, además, gozan de un fuerte reconocimiento nacional. En años más recientes, las agencias Güerxs e In The Park han puesto la última pieza que faltaba en el abanico de representación de la belleza mexicana al elegir rostros más comunes y cotidianos. In The Park ha llevado este concepto más lejos al buscar a sus representados, como lo dice su nombre, en los parques de México.

Entonces, ¿quiénes son los rostros y nombres que han forjado el modelaje en México? A continuación, presentamos a los perfiles icónicos que han definido la historia del modelaje en nuestro país. Además de su belleza, su personalidad ha aportado mucha esencia y corazón a la industria, y en las siguientes páginas te diremos por qué.

Alejandra *Infante*

AGENCIA: New Icon

DEBUT: 2007

Foto: Alejandra Infante por Alejandro de María, cortesía del fotógrafo.

«Se trata de querer tu cuerpo y sentirte cómoda en tu piel; vivimos en una industria en la que constantemente eres juzgada por tu físico y siempre hay alguien que tiene una opinión sobre ti».[38]

Prominentes cejas y una fuerte estructura ósea. Hablar de Alejandra Infante es hablar de la transición de generaciones, pues su camino se ha cruzado con sus antecesoras, como Martha Cristiana, y hasta con caras más jóvenes, como Mariana Zaragoza. Con poco más de diez años de carrera, es una de las pocas modelos que ha sabido cruzar la línea entre lo editorial y lo comercial. Con un pie en Nueva York y otro en Guadalajara, la modelo, hoy también empresaria, está detrás de la creación de la marca de productos de belleza H2 Rose. Alejandra conserva un interés particular por el desarrollo creativo de México de manera colectiva, haciendo a un lado el malinchismo para lograr tener un verdadero impacto internacional.

---

38   A. Infante, entrevista personal, 2019.

Celina *del Villar*

AGENCIA: Paragon
DEBUT: 1987

Como es común en las modelos, inició a los 16 años. Después de estar en la extinta agencia John Casablancas, pasó a ser representada por Glenda Reyna. Celina es de las pocas que pueden presumir haber trabajado con la mayoría de los diseñadores de finales de los noventa y la primera década del 2000. Su carrera despegó cuando fue la protagonista del décimo aniversario de la revista *Vogue México*. También desarrolló su vida profesional en otros países como España, Grecia, Taiwán y Japón, donde se estableció por temporadas cortas. Hoy su carrera se encuentra en una pausa indefinida; sin embargo, tras años de experiencia, Celina considera que los y las modelos que tienen éxito en el extranjero deberían regresar a México para darle una vigencia internacional.

Foto: Celina del Villar por Alejandro de María, cortesía del fotógrafo.

Cristina *Piccone*

AGENCIA: Paragon
DEBUT: 2010

Chanel, Marc Jacobs, Céline y Elsa Schiaparelli son algunas de las marcas internacionales con las que esta modelo ha tenido oportunidad de trabajar. Sin embargo, más que acumular fama, el rostro de Cristina es el reflejo de la perseverancia y la paciencia que se necesita para lograr grandes cosas. Migrar a Nueva York cambió su percepción sobre la moda, pues la aterrizó en un reflexión constante del papel de una modelo en la industria y, sobre todo, de cómo las personas entienden su oficio y cómo es la vida de modelo en la realidad.

«Durante mi carrera he escuchado un sinfín de ideas donde creen que todo es *glamour* y cosas gratis. La realidad es otra. No se trata solo de ser bonita y no hacer nada».[39]

Foto: Cristina Piccone, cortesía de Kris Goyri.

39 C. Piccone, entrevista personal, 2019.

Issa *Lish*

AGENCIA: Wanted

DEBUT: 2011

Foto: Issa Lish por Dan Crosby, cortesía de Maricarmen Ruíz.

Más que un look exótico, Issa tiene un imán que atrapa la mirada. Su figura desgarbada y su ascendencia asiática rápidamente llamaron la atención de personajes como Tom Ford, Steven Meisel, Donatella Versace, Alexander Wang, y una larga lista que supo reconocer un potencial que, por convencionalismo, a México le costó entender. Issa es, sin duda, una de las figuras más grandes en la historia del modelaje mexicano, un arquetipo que no solo hace referencia a la ruptura de paradigmas, sino también a la disolución de fronteras geográficas al llegar a la prestigiosa lista de las 50 más destacadas de Models.com.

Jessica *Espinosa*

AGENCIA: MM Runway

DEBUT: 2008

«México tiene potencial increíble en la industria en general, pero aún tenemos bastante camino por recorrer y bastantes líneas que borrar».[40]

Foto: Jessica Espinosa por Daniel Jáuregui, cortesía del fotógrafo.

Jessica comenzó su carrera sin abanderar ninguna causa en específico. No fue hasta su participación en el desfile primavera-verano 2019 para Louis Vuitton que se identificó a sí misma como modelo LGBT+. Desde entonces ha participado en campañas y editoriales nacionales que hablan sobre el tema: *Elle México*, Levi's y Hunter Wellington Boots. Aunque al principio no creía poder ser parte de la industria debido a su estatura y medidas, encontró la manera de usar una característica suya para marcar un cambio: su rostro angular e intrigante. Se trata de una de las caras andróginas que representa una lucha —y renovación— de pensamiento que vive el país.

---

40   J. Espinosa, entrevista personal, 2019.

Karime *Bribiesca*

AGENCIA: MM Runway

DEBUT: 2013

De notable belleza, Karime es hoy una de las modelos que más factura en el ámbito internacional. Su entendimiento del modelaje se refleja en su forma de trabajar; más que una visión romántica y glamurosa, esta chica ha logrado concentrarse en las necesidades que implican su trabajo. Objetivos claros y una gran tenacidad se antepusieron a los altibajos que también forman parte del sistema. Su *book* incluye marcas como Ray-Ban y Sephora, así como desfiles como Giorgio Armani y Delpozo.

«México tiene demasiado talento, el problema es la falta de apoyo dentro de nosotros mismos. Hay que darles prioridad a las modelos mexicanas, en todos los sentidos».[41]

Foto: Karime Bribiesca por Jesús Soto, cortesía del fotógrafo.

41 K. Bribiesca, entrevista personal, 2019.

Luisa *Sáenz*

AGENCIA: GH Model Management

DEBUT: 1986

El interés de Luisa en la moda es integral. Además de convertirse en modelo a los 15 años, estudió Diseño de Moda en el CEDIM (Centro de Estudios Superiores de Diseño de Monterrey). Alternaba como actriz en pequeñas producciones, lo que completó el rompecabezas que años después la haría enfocarse en un área con poca visibilidad en México: el *fashion film*. Tras un esfuerzo por traer ASVOFF[42] a México, en colaboración con Diane Pernet, Luisa estableció el primer festival de cortometrajes de moda en México, llamado Mexico Fashion Film Festival.

Foto: Luisa Sáenz. Campaña de Hua Lingerie, cortesía de la marca.

---

42 Es un festival de cine de moda creado en 2008, considerado el primero del mundo. Fue fundado por la periodista y crítica de moda Diane Pernet.

Mariana *Zaragoza*

AGENCIA: Paragon

DEBUT: 2014

Foto: Mariana Zaragoza por Fernando Poil, cortesía Fashion Week México.

«Para ser modelo se necesitan muchas ganas de llegar lejos. Actitud, ganas de trabajar y respeto a ti y a los demás. Muchísimo amor propio y muchísimo conocimiento de dónde vienes y de cuáles son tus metas».[43]

Mariana es la cara del modelaje mexicano de finales de la década del 2010. Ella, al igual que las modelos que trabajan en el extranjero, camina en la delgada línea divisoria entre el mundo comercial y editorial. Su frescura y sus enormes ojos azules lograron que IMG, una de las agencias más importantes en el mundo, la firmara para que, un par de meses más tarde, debutara cerrando el desfile de Prada. A partir de ahí, apareció en las cuatro capitales de la moda desfilando para marcas como Dior, Valentino, Miu Miu y Dolce & Gabbana. Mariana, con apenas 19 años, representa la jovialidad del modelaje en México pero es un rostro que, al igual que muchas modelos consagradas de esta lista, seguiremos viendo por años.

43 M. Zaragoza, entrevista personal, 2019.

Martha *Cristiana*

AGENCIA: Paragon

DEBUT: 1987

Foto: Martha Cristiana por Alejandro de María, cortesía del fotógrafo.

Mucho se habla de la proyección que una modelo debe tener cuando está frente a la cámara: no solo se trata de ser bonita, sino de tener un conocimiento del cuerpo y su expresión. Esa es, tal vez, la mejor característica de Martha Cristiana. Su carrera como actriz floreció cuando se encontraba desfilando para la escena del diseño mexicano a finales de los noventa y en la primera década del 2000. Su particular interés por la moda la ha llevado a explorar, incluso, una breve faceta como diseñadora. Ese ojo que desarrolló después de tantos años de estar en *backstage* la ha llevado a identificar singularidades; el ejemplo: el descubrimiento de la modelo Cristina Piccone.

Sara *Esparza*

AGENCIA: In the Park Management

DEBUT: 2016

Sara encabeza una nueva ola de modelos que buscan cambiar la percepción tradicional de belleza: piel morena, grandes labios y facciones característi-cas de un sector racial hasta ahora ignorado en nuestro país. Su aparición formal en el mapa fue con la campaña H&M Loves Madero, la cual rompió los paradigmas tradicionales de facciones anglosajonas y cuerpos 90-60-90. Aunque ya ha participado campañas con la marca G-Star Raw y prota-gonizado la portada de *Vogue México*, Sara se encuentra tan solo al inicio de su carrera.

«Hay cosas que no van a cambiar, al menos por ahora, como el tema de la talla. Juegan un papel importante la estatura y medidas corporales, pero la personalidad y cómo logres representarte a ti misma es lo que abre las puertas».[44]

Foto: Sara Esparza por Alex Córdova, cortesía de Fashion Week México.

---

44   S. Esparza, entrevista personal, 2019.

Sofía *Torres*

AGENCIA: MM Runway

DEBUT: 2014

Sofía, con un look andrógino, ha participado en el cambio de pensamiento de la industria, donde las líneas tradicionales de género poco a poco son cada vez más débiles. Ella representa una simbiosis en sí misma, al combinar el modelaje con su carrera como fotógrafa y directora de *casting*. En 2017 debutó en el desfile de Marc Jacobs, y logró un reconocimiento inmediato en México. Sofía, fiel a una convicción interna, apela a constituir una industria en donde la primera opción sean los mexicanos, hacer a un lado el malinchismo y apoyar al talento nacional.

Foto: Sofía Torres, cortesía Sofía Torres.

«Más allá de encajar en ciertos estándares de belleza —en esta época ya no son tan importantes—, hay que tener mucho coraje y paciencia para este trabajo. Hoy la industria busca una personalidad, más que una belleza perfecta».[45]

---

45 S. Torres, entrevista personal, 2019.

Foto: Andrea Carrazco por Luis Meza, cortesía del fotógrafo.

El papel del hombre

Paradójicamente, la industria del modelaje es de las pocas que funcionan a la inversa del resto. Las mujeres llevan la delantera, tanto en oportunidades de trabajo como en sueldos, y esto tiene que ver con que la concepción cultural de belleza está más relacionada con la belleza femenina: cremas, maquillaje, vestidos... Históricamente, los productos destinados para cuidar y resaltar la belleza habían estado destinados a un público de este género. Esta constante búsqueda de la belleza provoca que las consumidoras femeninas sean las principales de esta industria, motivadas por parecerse al menos un poco

Foto: Rafael Sánchez por David Suárez, cortesía del fotógrafo.

a la chica de la revista. Como consecuencia, no solo se cuenta con una alta demanda de modelos mujeres (y por ende, empleos mejor pagados) sino cada vez mayor competencia por destacar y seguir vigentes.

En 2016, la BBC publicó una cifra estrepitosa: las mujeres modelos ganan 75% más que su contraparte masculina.[46] Lejos de caer en un debate de género, el asunto deja al descubierto la poca oferta de moda para hombres, pero al mismo tiempo abre el debate sobre cuál sería la mejor herramienta para venderle al sector masculino, un nicho que se adapta poco a las tendencias, que no cuida tanto su apariencia y que no invierte tanto en ella.

Sin embargo, estamos frente a una brecha generacional importante. La revolución de pensamiento y los cambios en el comportamiento social —sobre todo la apertura a la diversidad sexual— han permitido la inserción formal de modelos masculinos en la industria que distan mucho de la concepción de «galán». Hoy la oferta de imagen del modelo incluye también referentes más

---

46 Aveline, Mickey, «Top modelling agent says male models 'suffer big pay gap' compared to women», en BBC World, 26 de septiembre de 2016 [En línea] <http://www.bbc.co.uk/newsbeat/article/37456449/top-modelling-agent-says-male-models-suffer-big-pay-gap-compared-to-women>.

terrenales en cuanto a su apariencia. En México tenemos ejemplos por demás interesantes: Sagrado Hernández, con una imagen transgresora; Rafael Sánchez, que ha formado parte de los desfiles de Dolce & Gabanna; Joel Islas, que roza la idea de andrógino frente a la cámara; o Magdaleno Delgado, quien representa un arquetipo inusual.

El movimiento de la inclusión ha sido respaldado por las propias agencias de modelos, las cuales paulatinamente comienzan a representar tipos de belleza cada vez más distintos. De esta manera, se promueve la representación de diversos tipos de cuerpo y rasgos anatómicos, lo cual se rompe las barreras que han existido en la historia de México desde hace siglos. Este, sin duda, es el siguiente paso para una transformación de pensamiento en la industria y, por supuesto, de la sociedad misma.

Foto: *Backstage* de Lust por Eugenio Schulz, cortesía del fotógrafo.

Origen y evolución
o el camino fragmentado

POR *Israel Vázquez*

Una veintena de años que versa sobre la igualdad, la democracia y lo cotidiano. 20 años durante los cuales, en el espectro creativo en México, parece permear un nuevo pensamiento. Sin embargo, fuera de la zona centro, la realidad es distinta. Durante el primer trimestre de 2019 una persona dejó entrever un tema que parecía superado: el racismo internalizado. Yalitza Aparicio se convirtió en una persona que transgredió conversaciones de norte a sur, para finalmente resaltar el orgullo de ser mexicana con raíces indígenas.

La noticia, sin duda alguna, es el preludio perfecto para generar una conversación alrededor de los cambios que se proponen desde la moda. Nuevas caras han aparecido en el sistema: la llegada de las tallas extras, que se ganaron su lugar en la pasarela; las estaturas en un desfile nunca habían sido tan variadas y qué decir del flamante arribo de la comunidad trans[47]

que, orgullosamente, se convirtió en un hecho histórico.

Particularmente en el país, esta hazaña de introducir a la pasarela rostros y cuerpos que rompieran el molde de medidas 90-60-90 y estaturas por encima del metro 70, que durante tantos años han sido el patrón de la industria, y la inclusión de una generación de modelos donde la identidad de género va desde lo no binario hasta la fluidez y el reconocimiento de modelos trans, se trabajó por 20 años. Oscar Madrazo dio los primeros pasos en 1989 con su agencia Contempo. Para 2009, David Souza y Johann Mergenthaler se encargaron de empujar los límites a través de Paragon, que abrió oportunidad a modelos con un perfil más internacional.

Siguieron agencias, como New Icon, de Pablo Antón, que ha procurado democratizar el modelaje al mantener una cartera de modelos que destacan por su diversidad racial, de

---

47 Como Ali Monterrosas, modelo y activista *trans* mexicana. O incluso talentos como Jessica Espinosa y Daniel Furlong, que se definen con una imagen andrógina y, más que identificarse con algún género, levantan la bandera *agender*.

Foto: Isis por Rodrigo Alva, cortesía de Fashion Week México.

medidas y pesos. Aquí se instalaron dos de las *plus size* de México: Jocelyn Corona y Ana Carbajal. A la par, GH, de Gottfried Heiss, decidió emplear extranjeros en México y llevar mexicanos al extranjero. Wanted y Bang, de Mauricio Medellín, le apostaron al lado disruptivo representando personajes, como Daniel Furlong, un modelo que juega en el terreno femenino y masculino sin distinción alguna.

En Guadalajara nació MM Runway, de Brisa Álvarez, agencia que descentraliza el negocio y se dedica a valorizar el trabajo de las y los modelos creando lazos fuera de México para exportar talento nacional. Más recientemente, el lado subversivo nace de la mano de In the Park, de Carlos Castellanos, Güerxs, de Maria Osado, y Nativo, de Osvaldo Padilla, tres agencias que invitan a pensar fuera de convencionalismos, a eliminar los arquetipos europeos de belleza y voltear a ver en todos los perfiles que existen en nuestro país.

Los esfuerzos, aunque se pueden contar con los dedos de las manos, están. El verdadero problema es cultural; aún finalizando la segunda década del 2000 seguimos atados a un malinchismo por una sociedad que tiene que replantearse, entre tantos temas, la percepción que tenemos de nosotros mismos así como nuestra cultura visual. Porque pueden pasar 20 años más en los que seguirán existiendo propuestas, y el mundo seguirá aprovechando lo que México ha rechazado. La prueba son historias como la de Yalitza, que con una mano en la cintura —y vestida de Prada— sacó a la superficie los estigmas de un país que tiene muy confundida su idea de belleza.

Israel Vázquez Editor de moda en *Coolhunter*. Estudió Diseño de Interiores en la Universidad de Guadalajara y comenzó colaborando en la revista especializada en diseño y arquitectura *México Design*, mientras aún era estudiante. Posteriormente se interesó en la moda y, desde entonces, ha colaborado en medios digitales e impresos relacionados con la industria.

Foto: Karla Laviada por Khristio, cortesía Fashion Week México.

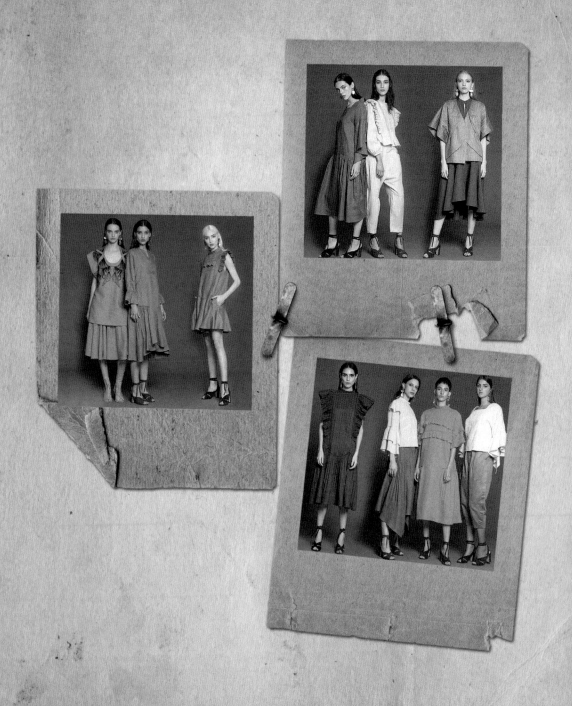

Foto: Modelos mexicanas del desfile de Yakampot en el Monumento a la Independencia.
De izquierda a derecha: Karla Laviada, Ana Paula Bernal, Annie Van Rickley. Arriba: Alejandra
Aceves, Elizabeth Valdez, Alejandra Velasco. Abajo: Alejandra Infante, Ornella Scoponi, Sofía Torres,
Loreto Ayuso. Cortesía Fashion Week México.

Capítulo Cinco

FOTÓGRAFOS: LA ABSTRACCIÓN DE LA LENTE

Pictórica o fotográfica, la imagen ha sido una parte fundamental de la historia de México. Se trata de una identidad visual que ha quedado registrada en archivos de fotógrafos como Manuel Álvarez Bravo o Graciela Iturbide, y que ha repercutido en la mirada de los profesionales de la fotografía que hoy registran los avances de la moda local.

En un plano romántico, la fotografía es una mirada al pasar de los años; en un plano pragmático, un registro de los cambios que se han vivido en diferentes naciones y una radiografía de cómo, con el tiempo, se transformó la mentalidad de la sociedad. La foto como un instante capturado es una abstracción de la realidad, su relación con la moda versa sobre la fabricación de una imagen y la comunicación de un mensaje. Cuando la moda intersecta la fotografía, las reglas se desvanecen para dar paso a la libertad creativa, a la experimentación que rompe las reglas técnicas de la foto para alcanzar su objetivo: contar una historia en imagen.

Para la moda, la fotografía representa el vehículo mediante el cual se comunican las creaciones de toda una industria alrededor del mundo. Pero la paridad va más allá: el fotógrafo de moda tiene la difícil tarea de dar un punto de vista particular con respecto a una editorial de moda. El fotógrafo es quien, después del trabajo de los estilistas, maquillistas y modelos, se convierte en el medio para capturar la abstracción de lo creado, misma que posteriormente se reflejará en la portada de una revista, por ejemplo.

El objetivo de la fotografía de moda es presentar a esta industria de diferentes formas y desde diferentes perspectivas, ya sea como una editorial minimalista de colores neutros o una composición inspirada en el barroco y la opulencia. El resultado, casi siempre, tiene un efecto hipnótico en los consumidores de estas imágenes. No solo se logra un impacto visual sino que, algunas veces, también se transmite un discurso respecto a la realidad social y sus problemas. La fotografía es entonces el modo en que un individuo, en este caso el fotógrafo, traduce un momento específico de la moda a una imagen que lo congela en el tiempo y lo conserva para las generaciones venideras.

La foto de moda en México tiene un antes y un después muy evidentes. Este giro de 360 grados se puede adjudicar a que, en la década de 1990, los fotógrafos de publicidad solían saltar de su ámbito al de la moda, mientras que actualmente sucede a la inversa: los fotógrafos especializados en moda son ahora quienes saltan a trabajos más comerciales. Es decir, hay fotógrafos que inician su trayectoria desde la propia disciplina de la moda, cosa que no sucedía anteriormente. Los jóvenes fotógrafos han aportado un estilo fresco, pues han entendido y propuesto técnicas alternativas para ir más allá de las fotos que arroja una cámara digital. Algunos, por ejemplo, han dejado atrás el uso indiscriminado de Photoshop, reemplazándolo por sesiones con cámaras analógicas que les permiten conseguir resultados con un dejo de nostalgia, muy distintos a los de las cámaras digitales. Hoy, el objetivo es producir imágenes más reales, haciendo de la fotografía de moda un ejercicio mucho más franco.

En la actualidad, los fotógrafos mexicanos han concretado una idea más clara de la moda nacional, que, a través de las imágenes, ha perdido la exclusividad del folklore para acercarse más a un diálogo visual con relevancia global.

«Siento que la fotografía no dice la verdad, puede que sí pero es muy fácil que no la diga. Yo hago fotografía partiendo de que es una ficción y esto me da margen de movimiento pues no estoy comprometido con la realidad».[49]

—Ricardo Trabulsi, fotógrafo.

Mirada al pasado

En 1993, el maestro Pedro Meyer[48] creó ZoneZero, un sitio web dedicado a exhibir fotografía no solo nacional, sino también de talentos de diferentes partes del mundo. Si bien, el proyecto ZoneZero no está especializado en moda, sí fue pionero en el ámbito de la exhibición de fotografías a través de un portal digital, hecho que cobra cada vez más relevancia, pues en los últimos cinco años el internet se ha convertido en el mejor escaparate para la fotografía de moda.

Gracias al trabajo de Meyer y su impulso al sector fotográfico en nuestro país, los años noventa finalizan con reconocidos personajes detrás del lente, como Enrique Covarrubias, famoso por su impecable trabajo en el universo de la publicidad, el cual trasladó a las páginas de revistas de renombre producidas en México como *Vogue, Elle, Harper's Bazaar* y *Marie Claire.* Por su parte, Ricardo Trabulsi —quien arrancó su carrera en el mundo de la moda a los 19 años

---

48 Pedro Meyer es uno de los principales exponentes mexicanos de la fotografía contemporánea. Nació en España, pero desde muy joven radica en nuestro país. Es mexicano por nacionalización y es el fundador del Consejo Mexicano de Fotografía.

49 R. Trabulsi. Entrevista publicada en la revista *Hotbook* [En línea] <https://hotbook.com.mx/ricardo-trabulsi/>

Foto: Germán Nájera para Clase Premier 2010. Modelo, Renata. Cortesía del fotógrafo.

de la mano de otro grande, Alberto Negrón— ganó fama por sus fascinantes retratos, hecho que en el año 2000 lo llevó a fundar la Academia de Artes Visuales, una institución especializada en la enseñanza, la práctica y la reflexión de la fotografía como arte, profesión y medio de expresión.

Los primeros años del nuevo milenio vieron nacer a una generación de fotógrafos que intentó llevar la moda a otro nivel, procurando un mayor cuidado en las producciones editoriales, de modo que fuera posible plasmar la visión particular de cada fotógrafo sobre el mundo. A diferencia de la moda *per se*, la fotografía de moda comenzó a generar un mayor interés, tanto por el público, como por instituciones culturales. El hecho de que se percibiera a la fotografía en general como una expresión artística permitió que la fotografía de moda, que igualmente emplea las técnicas artísticas y estéticas propias de esta profesión, cobrara más fuerza en el panorama de las artes y la cultura en México.

Septiembre de 2005 se convirtió en una fecha importante: el Centro de la Imagen inauguró «Trama y estilo», una exposición que formaba parte del programa Fotoseptiembre, un festival bianual de fotografía que se realizó hasta 2011 y que por dos décadas fue uno de los eventos más importantes del país en esta disciplina. El fotógrafo y director creativo mexicano Michel Mallard —actualmente radicado en París y que ha trabajado para marcas como Louis Vuitton, Kenzo y Jean Paul Gaultier— fue el curador de esta muestra, la cual se concentró en analizar la fotografía de moda a través de la imagen, así como su relación con la ciudad y, a partir de ahí, su impacto en el imaginario social. La exposición evidenciaba a la moda como una necesidad primaria del ser humano y posibilitó que, acompañada de la fotografía, esta siguiera colándose a los espacios culturales como un elemento discursivo.

Ese mismo mes, en la galería principal del Centro Nacional de las Artes al sur de la Ciudad de México, Alfonso Morales, Ana Elena Mallet y Gustavo Prado abrían las puertas de «Mextilo», una exposición que exploraba la relación de la fotografía y la moda en México en el siglo xx. La muestra fue dedicada al fotógrafo recién fallecido Adolfo Patiño, y contaba con el trabajo de artistas, como Héctor García, Rodrigo Moya, Carlos Contreras, Gerardo Suter, Javier Hinojosa y los Hermanos Mayo. Diez años después, en 2015, Gustavo Prado retomaría el nombre de esta exposición para trasladarlo a un documental y un libro titulado: *Mextilo, memoria de la moda mexicana*, uno de los pocos registros históricos que existen sobre este tema hasta la fecha.

De 1999 a 2010 surgieron fotógrafos importantes para la escena nacional, como Iván Aguirre, quien concentró su trabajo en crear imágenes más oníricas a través de la moda, y cuya posproducción se ha caracterizado por una colorimetría un tanto oscura. Germán Nájera, por otro lado, ha experimentado diversas facetas, como diseñador y *stylist*, que le permitieron llegar con más experiencia al mundo de la fotografía. Como fotógrafo, Germán propuso una visión más contemporánea y sobria de los diseños que se creaban en esos años. Por su parte, Santiago Ruiseñor inició su carrera en 1998 con un interés genuino en el fotoperiodismo, pero con el tiempo volteó su mirada y su trabajo hacia la moda. Años después, Santiago se convertiría en el editor de fotografía de la revista *Elle México*, retrataría a personalidades internacionales, como la modelo canadiense Coco Rocha o la argentina Valeria Mazza, e impartiría talleres sobre fotografía de moda a través del país.

Foto: Retrato de Andrea Carrazco por Tony Solis, cortesía del fotógrafo.

Al igual que el estilismo, la fotografía de moda tampoco se tenía contemplada en un contexto educativo como una especialidad. Instituciones como la Escuela Activa de Fotografía preparaban profesionales mayormente enfocados a conocimientos sobre historia y técnica. Los fotógrafos se especializaron en moda con la experiencia; otros, incluso, se hicieron fotógrafos de manera totalmente empírica.

Metamorfosis digital

La transición entre la primera y la segunda década del nuevo milenio se vio influenciada por la inmediatez de la comunicación. El impacto de internet en la fotografía no solo afectó la forma en que se producían imágenes, sino también el modo en que se exponían. Las tendencias de la fotografía de moda empezaron a verse a través de sitios como Tumblr que, en el auge de los blogs, funciona como una red de imágenes que se enriquece con la contribución de individuos de todo el mundo. Los desfiles de las principales semanas de la moda comenzaron a verse en YouTube. Las nuevas caras del modelaje se daban a conocer mucho más rápido que antes.

La velocidad con la que se compartían imágenes globalmente entre los usuarios de los blogs también provocó sobreinformación. Se volvió más complicado detenerse un momento para reflexionar si las fotografías de moda generaban un sentimiento o eran indiferentes al ojo. Aquí es prudente lanzar un interrogante: ¿cuál era el punto de la fotografía de moda? Si bien, para que una fotografía sea considerada como parte de esta industria tiene que contar con una coordinación estética (la presencia de ropa, accesorios y maquillaje) dentro del cuadro, también debe aludir a una emoción —como la nostalgia, por ejemplo— para que así cobre

Foto: Iván Aguirre para *Paper City Magazine*. Dirección creativa: Michelle Aviña, estilismo: Douglas Voisin, maquillaje: Juan Peralta, pelo: Javier Romero, arte: Mihaya Hurtuzuastegui. Cortesía del fotógrafo.

fuerza. Ejemplos hay muchos: históricamente, tenemos aportaciones, como las de Richard Avedon, con sus fotografías románticas de las supermodelos, como Cindy Crawford, o las de Tim Walker, un enamorado de la corriente surrealista, misma que ha traducido en sus fotografías con claras referencias a artistas representativos de esta corriente artística, como Leonora Carrington.

En México, una figura destacada por cuestionar la foto a través de su trabajo es la fotógrafa Fabiola Zamora, una de las dos fundadoras de la revista *192*. Esta publicación ofrecía, paralelo —y contrario— a internet, una curaduría con respecto a la imagen. Era una revista de nicho que cautivó a la audiencia de la moda por ofrecer un contenido alternativo a lo que otras revistas de corte más comercial presentaban. Las fotografías que número con número se publicaban en *192* eran más experimentales, exponían la belleza a partir del cuerpo de la mujer e incluso había desnudos femeninos. La experimentación y curaduría de la revista hizo que se convirtiera en el medio en el que la mayoría de los fotógrafos de moda quería publicar.

En complicidad con Danae Salazar, la socia de Fabiola, los estilistas, maquillistas y, por supuesto, los fotógrafos se adueñaron del contenido de *192*. De entre sus páginas surgieron fuertes representantes de la foto mexicana como David Franco, fotógrafo y fundador de la agencia 13 Producciones, cuya principal característica fue el discurrir entre la foto comercial y la foto de moda. A su vez, Dan Crosby comenzó a ser reconocido en esas páginas por su perspectiva y técnica de retoque que no solo conectó con los editores de moda, sino con los consumidores de las imágenes en general.

A la par, Gustavo García-Villa (de quien hablaremos un poco más en el apartado «La producción de la imagen») inició su transición de estilista a fotógrafo y, finalmente, a director creativo; este proceso se vio reflejado en las páginas de *L'Officiel México*, revista que se lanzó en abril de 2014 y que fue dirigida por otra estilista y editora: Pamela Ocampo. Gustavo creó una narrativa particular, más cinemática y conceptual, indudablemente plasmada en sus editoriales, las cuales mantienen, por ejemplo, un efecto granulado que recuerda películas viejas.

El boom de las revistas digitales dio pie a la creación de comunidades de *makers* que ya no esperaban a que una revista decidiera publicarlos; antes bien, ellos comenzaron a idear sus propios medios de distribución. Esto representó una dinámica distinta para la interacción entre los miembros de la comunidad creativa que, sin duda, incidió en su tiempo. Tal es el caso de Olivia Meza, que inició con *meow*, un proyecto escolar que mutó a una revista digital. A través de colaboraciones con fotógrafos que generalmente encontraba a través de Instagram, Olivia alimentaba su *web* con el trabajo de nuevos profesionales que comenzaban a probar suerte. Aquí es importante resaltar la aparición de fotógrafas como Karla Lisker, Ximena del Valle, Cecy Young y Anairam. Su trabajo es relevante no por el hecho puntual de ser mujeres, sino porque eso les permitió tener una aproximación diferente al cuerpo de la mujer. Karla desarrollo una foto más sensual y con un juego de perspectivas. Ximena se enfocó en crear una foto más romántica y ecléctica, con una representación más precisa del color. Cecy puso más atención al detalle y a la composición de la foto, centrando formas y creando la ilusión de más aire en sus imágenes. Anairam se especializó en la foto de belleza, en jugar con las proporciones del rostro para captar con mayor detalle el maquillaje editorial.

Guadalajara también comenzó a ver el crecimiento de talento. Por un lado, Ricardo Ramos reunió en su fotografía la moda y la arquitectura, profesión que estudió y que le dio un mejor entendimiento de elementos como la luz, el espacio y el color. Ricardo convirtió la silueta femenina en un elemento arquitectónico con el que experimenta en todas las imágenes que produce. Manuel Zúñiga, otro tapatío, se involucró en la producción fotográfica gracias a su gusto por el cine, razón por la cual sus fotos parecen *stills* de una película. Su interés principal es crear escenas que no se vean construidas ni posadas; todo lo contrario, su objetivo es que parezcan referentes de lo cotidiano.

Foto: Karla Lisker para InStyle, cortesía de la fotógrafa.

En 2015, se inauguró la primera muestra que reúne el trabajo de varios de estos fotógrafos, que maduraban a la par, cada uno en su línea. Ornella Cremasco y Sabine Riefkohl fueron las encargadas de crear esta exposición a través de su plataforma: Proyecto Arrebato. Bajo el nombre de «Origen», la exposición, instalada en Galería Central de la colonia San Miguel Chapultepec, presentaba el trabajo de fotógrafos como Ana Hop, Juan Hernández, Marco Marcovich, entre otros. Al año siguiente, en 2016, el Foto Museo Cuatro Caminos presentó «Pose, fotografía de moda México hoy», una muestra organizada y curada por Gustavo Prado, la

Foto: Donovan Quiroz para Time Out México, cortesía del fotógrafo.

cual exponía el trabajo de varios talentos que, en palabras del curador, «estaban rompiendo los esquemas conservadores de la foto de moda. Esta exposición habla de la construcción de una identidad nueva y diferente a partir de la identidad urbana o del género».[50] Se agrupó el trabajo de varios fotógrafos, entre ellos, Alex Córdoba y Donovan Quiroz, quienes representaron la expresión juvenil con fotos muy distantes de las historias dramáticas, además de Tony Solis e Iván Aguirre, dos fotógrafos que ya tenían experiencia y lanzaron sus propias revistas (*Pánico* y FLESH, respectivamente). Las imágenes exhibidas contaban con una carga de subversión, eran fotos más alternativas en cuanto a estilismo y edición; la selección apremiaba conceptos futuristas, como la belleza atípica de los modelos y distorsiones exageradas que resultaban de un proceso de posproducción digital.

A partir de este suceso, poco a poco se formó una red de fotógrafos independientes muy sólida. A través de sus fotos, es posible hilar la evolución de la estética fotográfica cultivada en México. Experimental o romántica, con un fin más social o comercial, los fotógrafos de moda se convirtieron en artistas que

---

50 Declaración de Gustavo Prado en el vídeo *Fotografía de moda en México hoy:* POSE, en el canal de YouTube de TrendoMx. [En línea] <https://www.youtube.com/watch?v=ri-hh5pTOFQ4&t=26s>

Foto: Manuel Zuñiga, cortesía del fotógrafo.

merecían ser visualizados. De cierta forma, fueron una generación que abrió una brecha, que puso sobre la mesa la capacidad creativa de México. La visibilidad que aportaron redes sociales como Instagram fue una parte crucial de la solidificación de los fotógrafos: sus perfiles se convierten en sus portafolios y, de esta forma, sus fotos se hacen más accesibles para el mundo.

Foto: Izack Morales, cortesía del fotógrafo.

Como parte de la centralización que vivía la moda en todas sus aristas (diseño, estilismo, editorial), la Ciudad de México empezó a recibir personajes tanto nacionales como extranjeros. La efervescencia de la fotografía de moda de los últimos años en el país, aunada a las crisis políticas de naciones como Venezuela, provocó la migración de varios fotógrafos latinoamericanos a México, lo que indudablemente nutrió y diversificó la escena. David Suárez, Jesús Soto, Pedro Lollet y Felipe Hoyos llegaron de la mano de maquillistas, como Neiza Hernández y Jesús Palencia, que se instalaron en México y completaron una escena que ha desencadenado la profesionalización de la fotografía.

Al mismo tiempo, fotógrafos mexicanos se aventuraron a viajar por el mundo. Izack Morales, por ejemplo, es un fotógrafo nómada que, aunque regresó a México después de experimentar con la fotografía de moda en Europa, se ha trasladado a países, como Argentina y Bolivia, lugares que aprovecha para explorar la cultura local. Su archivo, que también está inspirado por la cinematografía, contiene fotos más «limpias», es decir, composiciones donde la modelo está integrada al espacio y la colorimetría permite que se perciba una limpieza aparente.

Otros profesionales mexicanos que lograron desenvolverse en el mundo de la fotografía internacional son Santiago y Mauricio Sierra, quienes se establecieron en Nueva York y desde ahí siguieron colaborando con la escena de la moda mexicana; los hermanos Sierra desarrollaron proyectos audiovisuales que se han inscrito más en el ámbito comercial para clientes como Calvin Klein, Christian Cota, Louis Vuitton y Dior. Del lado editorial, han publicado en *Vogue US, Elle, W Magazine, Nowness, 192 y Vogue México*, revista para la cual retrataron a la actriz mexicana Yalitza Aparicio para la portada del número de enero de 2019. La sesión de fotos de Yalitza se volvió un fenómeno de redes sociales. Incluso, la portada en la que aparecía se convirtió en una de las más polémicas de la publicación por haber elegido a una mujer indígena como la protagonista de la edición. Después del revuelo, una de las fotos de la editorial pasó a formar parte de la prestigiosa exposición «Vogue Like a Painting», que se exhibió en julio de ese mismo año en el Museo Franz Mayer.

Foto: Jesús Soto, cortesía del fotógrafo.

Las imágenes que produjeron los fotógrafos en la última década del 2000 se convirtieron en un recordatorio importante sobre la visión contemporánea de México. Las barreras geográficas dejaron de ser un impedimento para que los fotógrafos publicaran su trabajo en otras revistas del mundo; cada editorial se pensaba como un ensayo que guardaba una magia muy particular que se podía percibir cuando las fotos eran publicadas. Los fotógrafos dejaron en claro que no se necesitaban producciones gigantes para crear fotos de moda con gran impacto visual. Más que lo económico, el recurso realmente imprescindible es el creativo.

Mexicanismo cotidiano

En el contexto de la fotografía de moda y sus distintas expresiones, también nacieron proyectos que, aunque no son calificados necesariamente como parte de la industria, tienen su origen en ella. Es el caso de Dorian Ulises López, un fotógrafo que se enfrascó en un viaje para descubrir y retratar la belleza mexicana, la de los morenos, partiendo de una verdad palpable: las modelos de las editoriales eran blancas, de pelo rubio y ojos claros.

«Un día sentí que algo se cayó de mis ojos y que mi mente comenzó a expandirse. Creo que fue cuando empecé a recorrer las calles para tomar fotos. No es que ahora piense que la gente blanca no es bella, no es así, yo creo que todo lo que hay en el mundo es bello. Es solo que esa belleza ya está demasiado explorada; un caso contrario a la belleza de los morenos»,[51] explicó Dorian en una entrevista para *The New York Times*.

«Mexicano» es el nombre de su proyecto. En 2017, Dorian López llevó parte del trabajo hasta la 78.ª Bienal de Arte del Museo Whitney de Nueva York. Apenas un par de meses después de la llegada al poder de Donald Trump y de los mensajes antimexicanos que fueron protagonistas de su campaña, la participación de López en la Bienal adquirió un tono político y se hizo viral.

México tiene una tradición en torno a la imagen que hoy se lee de manera diferente.

La Ciudad de México actualmente es la cuna donde las sinergias permiten crear nuevas perspectivas, imágenes que se inscriben en un terreno cuyo enfoque está en encontrar la identidad mexicana de la fotografía de moda.

---

51   Perez, Isabel Mónica, «La belleza de ser mexicano», en *The New York Times*, 9 de junio de 2017. [En línea] <https://www.nytimes.com/es/2017/06/09/la-belleza-de-ser-mexicano/>

Foto: Dorian Ulises López. Título: Sánchez-Kane / Primavera Verano 18. Foto y casting: Dorian Ulises López Macías, dirección creativa: Bárbara Sanchez Kane, modelos: Marcial y Andrés, maquillaje: Ana G. de V, Pelo Carlos Arriola, estilismo: Raúl Castilla Jorge, asistente y video: Alexis Rayas, productor Carlos Castellanos para In The Park productions. Ciudad de México, 2018.

Foto: Serie «Me comí hasta el mantel» de Ana Blumenkron para Dior Photography Award para Young Talents, cortesía de la fotógrafa.

Foto: Germán Nájera + Iván Flores para *Nexos*, 2018. Personaje: Cecilia Suárez. Cortesía de los fotógrafos.

Eso no quiere decir que las imágenes de moda se queden en México; internacionalmente existe una perspectiva sobre la moda mexicana que discurre en una tierra de talento. En 2019, la firma Christian Dior, en colaboración con Christian Dior Parfums y la Escuela Nacional de Fotografía de Arles en Francia, realizó el concurso Dior Photography Award for Young Talents, que reconoce el trabajo de jóvenes fotógrafos alrededor del mundo. La invitación se hizo a 11 escuelas de fotografía de diferentes países; el reto consistía en crear una serie de fotos que hablaran del color, la belleza y el poder de la feminidad. Ana Blumenkron, Lucia Ochoa y Daniela Magallanes (esta última radicada en Berlín) fueron las tres fotógrafas mexicanas que lograron entrar al concurso, mismo que ganó la concursante china Gangao Lang. Sin embargo, la selección representó un reconocimiento importante para el trabajo de las mexicanas.

Sin duda, la fotografía de moda en el país se ha transformado. Hoy día está reforzada por su contenido, que habla de los mexicanos que construyen la moda. Esta nueva edad para la industria tiene su memoria en la foto, lo que se ha convertido en un músculo vital para la consolidación de la industria no solo en el ámbito nacional, sino también internacional.

Diálogo visual

«¿Acaso alguien lee un libro de imágenes desde el inicio? Yo no. Es la razón por la que creo que los japoneses son muy listos: es instintivo empezar por el final.[52] El ojo tiene que viajar».

—Diana Vreeland.[53]

El proceso de construcción de una imagen es curioso. Aunque el objetivo es comunicar, las palabras pasan a un segundo plano. El lenguaje se transforma en una armonía visual que conecta a la moda con el modelo, con el entorno para, finalmente, crear una escena que busca impactar, de alguna forma u otra, a su receptor.

Conocer a un fotógrafo es inmiscuirse a un archivo con el que le da sentido y unicidad a su trabajo. Bien dicen por ahí: una imagen vale más que mil palabras. Por ello, concentramos el trabajo de algunos de los fotógrafos más representativos de la escena mexicana, para ensamblar un diálogo visual sobre el avance estético de la foto y las perspectivas que ha propuesto en los últimos años en nuestro país.

Te invitamos a hacer este acercamiento a la fotografía de moda, entendiéndola como resultado de años de creación y pasión por parte de individuos para los que la moda, más que una vocación, es un estilo de vida.

---

52 Empezar por el final refiere a la acción de hojear las revistas en Japón, donde dado que las revistas tienen el lomo del lado derecho, es posible hojearlas de atrás para adelante.

53 Diana Vreeland, editora de moda. *Cita Diana Vreeland: The Eye Has to Travel*, 2011, traducción propia.

Foto: Cassar, cortesía de Alfredo Martínez.

Foto: Alexander Neumann para Maison Manila.

Foto: Izack Morales.

Foto: Iván Aguirre para FLESH *Magazine*. Estilismo: Alonso Murillo, maquillaje: Vicente Montoya, pelo: Luis Gil, modelo: Nora para New Icon. Cortesía del fotógrafo.

Foto: Karla Lisker para *Elle México*, cortesía de la fotógrafa.

Foto: Manuel Zuñiga, cortesía del fotógrafo.

Capítulo Seis

LA PRODUCCIÓN DE LA IMAGEN: RESULTADO DE UNA VISIÓN

La creación de una imagen es, en realidad, más compleja de lo que parece. Gran parte de su insurgencia proviene de la visión de un estilista, quien conjuga las piezas para crear *looks* consecutivos, narrativos, en los que se plasma y conserva una abstracción de la realidad social contemporánea.

Muchas de las referencias que tenemos de la moda son una serie de imágenes que pasan frente a nuestros ojos como si se tratasen de recuerdos. Todas estas imágenes no son creadas por casualidad, son en realidad el resultado de creativos que producen universos de ensueño para comunicar la idea de la marca al espectador. Se trata de los estilistas, cuyas funciones son difíciles de enumerar, ya que cada uno realiza actividades diversas.

Podemos ver su labor como una búsqueda por cuidar la calidad visual de cualquier cara que la moda nos muestra: las decisiones estéticas de las campañas en revistas, la combinación de las prendas en un desfile, el atuendo de una celebridad, entre muchas otras. En la producción de imágenes, por ejemplo, podemos hablar del estilista como un director creativo (aunque no sean lo mismo) que se encarga de concebir la idea que estas fotografías reflejarán. Los *stylists* se adelantan a esta imagen final para, con base en ello, tomar decisiones sobre la locación, la iluminación, los elementos que ayudarán a materializar esta imagen, el perfil estético de las modelos, entre muchas otras.

Estilismo: una nueva disciplina

El ejercicio del estilista trastoca la mirada de quien consume imágenes que, más que de moda, hablan de un momento específico en la historia. Pensar en el quehacer de un estilista de moda es inmiscuirse en la interpretación. La memoria de la moda es, entonces, la visión de un estilista o de un director creativo. Es sobre una imagen, más que sobre la moda misma.

Cada fotografía de moda plantea un universo que nace de una visión de la época en la que vivimos, del comportamiento de una sociedad y su constante manía de asomarse al pasado y, simultáneamente, especular acerca de futuro. Con esta idea como base, la figura del estilista en México tomó forma de manera un poco abstracta. Los vestuaristas han funcionado como un catalizador al proveer de moda a programas de televisión, por ejemplo, pero no terminaban de ser estilistas en forma; es decir, carecían de una opinión creativa frente a las colecciones de los diseñadores. Con la entrada al nuevo milenio, la función del *stylist* fue una idea progresista y, por lo tanto, un poco arriesgada. Así, entró en escena una generación de creativos que apostaron por el estilismo, entre los cuales destaca Marco Corral, quien encabezó a esta primera generación y, hoy en día, es uno de los nombres con mayor trayectoria en esta profesión.

Para 2001, la productora y editora Annie Lask comenzó a publicar su trabajo como estilista en revistas, como *Eres, Spot, Marie Claire* y *Harper's Bazaar.* Su
labor se vuelve un ingrediente importante del cambio en la percepción del *mo-
dus operandi* de la moda, la cual empezó a tomar más riesgos creativos. Su visión,
más global que local, dio paso a la idea de tener moda con un sentido e influencia
más internacional. Con eso en mente, Annie descubrió el trabajo de diseñadores
que, a través de sus propuestas, traslapan la antigua idea de una moda que solo
hace vestidos de noche. Firmas y diseñadores, como Marvin y Quetzal, TEAMO
(de Roberto Sánchez y Rafa Cuevas) y Carlos Temores, quienes destacaron por
tomar riesgos creativos en sus colecciones, hicieron buena mancuerna con esta
nueva generación de estilistas que, como Annie, buscaban estilos más experimentales en aras de cambiar los esquemas convencionales a los que la industria
y sus respectivos medios de difusión estaban acostumbrados.

Foto: Campaña de Mercedes-Benz Fashion Week Mexico con estilismo de Annie Lask, cortesía de Fashion Week México.

A esa camada se unieron personajes como la modelo trans Zemmoa
y marcas como Mancandy, quienes reforzaron esa idea de moda alternativa,
el principal nutriente de la industria que se publicaba en revistas de nicho.

Estas apariciones tuvieron gran relevancia, pues dieron a los estilistas nuevas prendas para construir otras historias con base en ellas, además de marcar una nueva línea estética al apostar por modelos como Zemmoa.

La figura de Paola Viloria también fue otra pieza clave del rompecabezas. Por varios años editó la revista *Celeste*, para después hacer lo mismo en la icónica *Baby Baby Baby*, y en ambas se encargó del estilismo de las editoriales de cada número. Su idea de moda, aunque era más sobria, rescata mucho del nuevo glamour que vivía la cultura independiente y que, por varios años, Napoleón Habeica registró con su cámara.

Foto: Estilismo de Nayeli de Alba para FashionWeek.mx fotografíada por Virdiana Flores, cortesía Fashion Week México.

Desde Guadalajara

Para 2005, la ciudad de Guadalajara se encontraba en una faceta que merecía mirarse con detenimiento. Aunque era una ciudad que ni siquiera contaba con una carrera de moda como tal, se originó un creciente interés por la disciplina. Por un lado, apareció Jonathan Morales, quien en 2006 ya tenía algunos años de experiencia como diseñador con su marca Cherry Project. En aquel año se dedicó a elaborar el estilismo de un grupo de música pop que apenas despegaba en Guadalajara: Belanova. Además de sus canciones, la banda aumentó su fama gracias al

> **«El fallecimiento de Quetzal fue el inicio de un silencio creativo no solo para Marvin Durán,[55] sino para toda la escena que había fundado marcas, clubs y publicaciones».[56]**
>
> —Monse Castera, promotora de diseño.

estilo particular de Denisse Guerrero, su vocalista. «Eso se convirtió en un fenómeno de estilismo. Era increíble ver cómo se llenaba el Auditorio Nacional con cientos de niñas que imitaban el estilo de Denisse. Es interesante ver cómo una marca de moda mexicana se trasladó a las masas, tal vez no comercialmente, pero sí como una idea de pertenencia»,[54] explica Jonathan.

A la par, otro nombre saltó al mapa: Nayeli de Alba, también de Guadalajara. Comenzó estudiando diseño en el Centro de Diseño de Modas de Guadalajara, la misma escuela donde se formaron las diseñadoras Julia y Renata. Su práctica como estilista comenzó inspirada por el trabajo de profesionales que planteaban una moda más experimental en cuanto a diseño y materiales, como Enrique González, diseñador de la marca EGR, y Denise Marchebout, quienes inauguraron Clínica, una de las primeras *concept stores* del país en vender diseño mexicano. Más adelante, Nayeli cobraría tracción por sus colaboraciones con diseñadores como Sánchez-Kane o marcas como H&M, ambas con un estilismo que apela a una visión irreverente de la moda y a resaltar la belleza mexicana.

Previo a ese momento, el estilismo de moda era una aproximación muy personal de cada *stylist*, pero no se había percibido como un empleo en

---

54 J. Morales, entrevista personal, 2019.

55 Marvin Durán y Quetzalcóatl Rangel fundaron juntos la marca Marvin y Quetzal. No solo eran socios, también mantuvieron una fuerte amistad.

56 Castera, Montse, «Todo lo que quieres saber sobre Marvin y Quetzal», en *i-D*, México, 14 de octubre de 2016. [En línea] <https://i-d.vice.com/es_mx/article/zm4498/todo-lo-que-quieres-saber-de-marvin-y-quetzal>

forma. Con su trabajo, los estilistas comenzaron a hacerse necesarios al demostrar la necesidad de su visión en revistas o al asesorar a diseñadores y celebridades para definir su línea estética, ya fuese para un desfile o un evento por igual. La diferencia entre un proyecto que había contado con la colaboración de un estilista y uno que había sido producido de forma independiente era muy evidente.

Una pérdida dolorosa

La primera década del 2000 en el estilismo mexicano se caracterizó por la constante búsqueda de una transformación a través de la libertad creativa y también de los excesos, los cuales hicieron que, aunque la tendencia del estilismo iba a la alza, la vida nocturna (en la que estaba inevitablemente inmersa) fuera uno de los principales motivos por los cuales esta escena comenzó su declive. Un momento clave que cuestionó este estilo de vida fue la muerte del diseñador Quetzalcóatl Rangel, en 2008.

El problema de alcoholismo de Quetzal no era una novedad; se habló incluso de que fue uno de los factores que intervinieron en su deceso. Eso causó un impacto importante: la escena *underground* de la moda estaba compuesta, en su mayoría, por un circuito de gente joven. Las fiestas y excesos fueron parte característica de este tiempo. Poner un freno después de la tragedia fue un paso que se dio por inercia. Marvin intentó seguir con la marca, pero la dejó poco tiempo después.

Inició así un replanteamiento en todos los aspectos de la industria, no solo en el diseño, sino en la vida nocturna, y su relación con el estilismo. Se vivía también una reconsideración en la comunicación de la moda: el *boom* de los blogs y del internet marcaron un cambio sin precedentes. Era momento de ver que seguía y reinventarse para la segunda década del 2000.

Las nuevas latitudes del estilismo

Internet sin duda abrió el panorama para el talento mexicano, pues gracias al flujo de información, la búsqueda de referencias y tendencias en otras partes del mundo se volvió mucho más inmediata. Esto permitió que el trabajo de los estilistas mexicanos sobresaliera en otras latitudes, y facilitó que las imágenes de producción nacional tuvieran una calidad que estuviera a la par de lo que se hacía en ciudades como Nueva York y Londres. Además, el estilismo como ejercicio creativo se hizo popular. La facilidad para publicar fotos de moda en revistas digitales, así como la rapidez para producirlas, provocó la aparición de estilistas *amateurs* y, por ende, la producción de incontables fotografías que no estaban reforzadas por un concepto sólido.

Frente a este panorama, el trabajo del estilismo como ideario visual tomó un nuevo sentido, donde el concepto subyacente a la producción editorial se convirtió en un factor determinante para la labor del estilista profesional. Nombres como Annia Ezquerro, Alice Gamus y Vera Félix cobraron importancia en las revistas independientes que sobrevivieron, como *Código 06140*. En esta publicación también colaboraba Marika Vera, un talento mexicano recién llegado después de estudiar en Londres. Su carrera comenzó en la Ciudad de México como estilista, antes de la creación de su marca homónima de lencería.

Foto: Estilismo de Rodrigo de Noriega para CoolhunterMx fotografiado por Gustavo García-Villa, cortesía del estilista.

El cambio hacia la segunda década del 2000 fue inminente y muy palpable: se abrió el paso a una nueva generación de estilistas, con nuevas expresiones y nuevos formatos para entender y presentar la escena de la moda mediante un lenguaje global. Fue el nacimiento del estilismo de moda contemporáneo, que trajo una oleada de nombres como Juan Carlos Placencia, Beto Escamilla, Pablo Villalpando, Rodrigo de Noriega, Pol Moreno, Carlos Victimo, Daniel Herranz, Jocelyn Corona y Chino Castilla. El valor de su aportación recae en la diversidad. Cada uno supo madurar una voz propia, que puede verse en cada una de las producciones editoriales que fabrican y la forma en que se han reinventado con el paso de los años.

Además, se estableció una fuerte unión entre diseñadores y estilistas con el fin de crear una revolución a través de un choque de pensamiento. Este es el caso de Bárbara Sánchez-Kane y Nayeli de Alba, quienes juntas han entablado un diálogo, tanto en México como en Nueva York, que apela a la valoración del mexicano, de la piel morena y su diversidad frente al estereotipo europeo que se impuso por mucho tiempo.

Foto: Estilismo de Priscila Cano fotografiado por Jesús Soto, cortesía del fotógrafo.

En esta segunda década, los nombres que se sumaron a la comunidad creativa aportaron una visión diferente, lo que diversifica el ecosistema de estilismo. El sello personal de cada estilista se hizo visible. Nombres como el de Gustavo García-Villa cobraron una mayor relevancia. Originario de La Paz, Baja California, Gustavo es diseñador gráfico de profesión. Su fascinación por las fotografías publicitarias de la década de los noventa lo llevaron a inmiscuirse al terreno creativo. Ha sido director artístico de marcas mexicanas, como Trista y Yakampot, llevando la dirección creativa de desfiles y campañas. La relevancia de Gustavo en la moda se refleja en el modo en que transitó del diseño gráfico al estilismo, luego a la fotografía y, finalmente, a la dirección creativa de una revista como *L'Officiel,* que, a diferencia de su contrapartes (*Vogue, Elle* y *Harper's Bazaar*), destacó bajo su mando por su calidad y armonía visual.

Foto: Estilismo de Tino Portillo, cortesía del estilista.

La aparición de medios independientes, como *MEOW* y *Pánico*, dio también voz a estilistas como Tino Portillo, que recién llegaba de Ciudad Juárez a la Ciudad de México. Junto con Nayeli de Alba y Benjamin Larroque, formaron una cooperativa llamada The Clothing Room, un *showroom* que reunía piezas de nuevos diseñadores para nuevos estilistas. De alguna manera, ellos ayudaron a encontrar nuevos talentos como la ahora reconocida estilista Priscila Cano.

La importancia colaborativa del trabajo de los estilistas con el resto del equipo creativo ya se había demostrado: no solo se trataba de ayudar al diseñador a preservar el concepto de una colección, sino de abstraerlo y traducirlo en una imagen fotográfica que lo reflejara. Para esto fue necesario entender la noción de la colaboración en la producción de imágenes de moda; más que el trabajo de una sola cabeza, hacer una producción editorial se convirtió en una mecánica de complicidad entre los propios estilistas, los fotógrafos, las modelos y, por supuesto, los maquillistas y *hair stylist*.

Belleza colaborativa

La nueva generación de creativos generó lazos importantes con varios colaboradores; entre ellos, los maquillistas y *hair stylists*, que son una pieza fundamental en la creación de las imágenes. El avance en este campo se fortaleció con la amplia libertad creativa que daban las revistas independientes a las producciones editoriales; los maquillistas y los *hair stylists* sobresalieron entonces por su habilidad para complementar acertadamente las ideas de los estilistas, y por su capacidad de convertir estas ideas en una realidad, aplicando su arte en los rostros y el cabello de los modelos.

Uno de los maquillistas con mayor relevancia nacional e internacional es Ossiel Ramos, quien, después de trabajar para marcas como Chanel, se coló a los desfiles más importantes de París, ciudad donde vive actualmente. A la par, Beatriz Cisneros y Karla Vega se convirtieron en dos piezas claves de la afamada marca MAC Cosmetics a nivel nacional.

En el ámbito independiente, uno de los *makeup artists* con mayor reconocimiento y cuyo trabajo ha sido publicado en la mayoría de las revistas de moda y belleza de México es Gustavo Bortolotti, quien ha desarrollado una técnica muy personal sobre el tratamiento de la piel. Ana G de V y Aracely Zárate también han logrado un reconocimiento importante en el gremio. Su manejo del color y sus propuestas de maquillaje se han logrado adaptar a la firma de los estilistas con los que han trabajado. En el mundo de los *hair stylists*, Ignacio Muñoz y Alejandro Íñiguez resaltan por su trabajo. Ambos se han concentrado en desarrollar técnicas para el manejo del pelo, y su trabajo ha sido publicado en revistas de moda, como *Harper's Bazaar*.

Foto: Beauty dirigido por Daniel Herranz para FashionWeek.Mx fotografiado por Antonio y Daniel, cortesía Fashion Week México.

Foto: Estilismo de Dano Santana para FashionWeek.Mx fotografíado por Alex Córdova, cortesía Fashion Week México.

Evolución y propuesta creativa

La suma del trabajo de los estilistas, maquillistas, *hairstylist* y fotógrafos, y su colaboración con los demás jugadores de la industria, hizo que la moda se encontrará en un punto más sólido. Por lo menos en la parte visual. Aún queda la cuestión de que, incluso cuando ya se tienen licenciaturas dedicadas al diseño de moda, en realidad no existe una especialización en estilismo. Carreras que se han enfocado en el diseño de imagen personal o en imagen pública distan bastante del desempeño de un estilista que, como ya se mencionó, abarca también la producción editorial y la dirección creativa. «Hace falta revisar el espectro completo de moda, no solo se trata de formar diseñadores, sino todo un soporte que dé forma a la industria»,[57] mencionaba Ana Elena Mallet.

Un factor importante que ha ponderado en la moda mexicana es el *DIY (Do It Yourself)*. Muchos de los actores de la escena de la moda construyeron su trabajo con la experiencia empírica. Empezaron haciendo las cosas por sí mismos y de ahí lograron inmiscuirse en el mundo de la moda. Sin duda, eso

---

57   A. Mallet, entrevista personal, 2019.

refleja el gran valor que tiene la iniciativa y la pasión genuina de los miembros de esta industria, cuyas cualidades han logrado generar un cambio creativo en México, y llevado a la industria de la moda a conquistar cometidos cada vez más demandantes.

Así, en las últimas dos décadas se volvió evidente el compromiso de esta nueva generación de estilistas, que se preocupó —y ocupó— por abrir nuevos caminos para la moda, y que ha desencadenado en la creación de sinergias interesantes. Gracias a eso, la moda nacional desarrolló un sentimiento de pertenencia y reconocimiento a lo local: las imágenes, que tienen un lenguaje universal y pueden estar publicadas en cualquier revista del mundo, conservan la presencia de diseños y marcas nacionales, combinando así elementos locales e internacionales en la labor del estilismo. La industria se volvió global.

Hoy, el valor de los estilistas ya no es cuestionable. A través de su visión podemos asomarnos a la moda dentro de una foto o en un desfile. Es un trabajo resolutivo, que ofrece creatividad y pertenencia, que nos permite expandir los límites estéticos y explorar nuevos horizontes, aportando así una valía exponencial a la cultura de la moda en México.

Foto: Estilismo de Rodrigo de Noriega,
fotografiado por Viridiana Flores, cortesía del estilista.

El contexto
es la mitad del trabajo

POR *Olivia Meza de la Orta*

Pensar que la moda es solo un objeto físico final que el individuo se apropia es la forma más pobre de comprender la complejidad de un fenómeno y una disciplina que forma parte de la cultura universal. Es a partir de esta que debe apreciarse, estudiarse y reflexionarse la complejidad de la moda. Para ello, es esencial conocer cómo se estructura esta industria que, de una forma u otra, nos impacta a diario por el simple hecho de hacer una elección al vestirnos.

Los engranajes de la moda, refiriéndome con ello al colectivo de jugadores que participan activamente desde distintas trincheras, son primordiales de conocerse. Normalmente son todos los involucrados en la línea de producción que concierne a la industria; entre ellos podemos mencionar desde los *retailers*, compradores mayoristas o minoristas, maquilas, proveedores de materias primas, agencias de publicidad, periodistas, ferias e instituciones hasta los estilistas, fotógrafos, maquillis-tas, modelos o peinadores. Creer que en la moda un solo agente es el responsable de imponer una tendencia como un dictador es erróneo. También el consumidor juega un papel crucial en esta cadena de valores.

El contexto muchas veces lo es todo y es justo esta parte del *iceberg* que queda aún en el misterio. Desconocerlo no es malo, pero ignorarlo sí. El conocimiento que obtengamos de cualquier cosa o situación que exista o no en nuestra realidad se reflejará de alguna forma u otra en la cultura, y la moda es uno de sus vehículos de expresión y de representación tan ricos y audaces que podemos analizar e interpretar a nuestro favor.

Por ende, reflexionar sobre el contexto que lleva una prenda que compres en una tienda, un texto que leas en alguna revista o una fotografía que mires en Internet resulta ser una solución o, por lo menos, un intento de poder abrir las perspectivas de la moda, más allá de estereotipos que caen en lo superficial, lo gla-

Foto: Estilismo de Priscila Cano fotografiado por Jesús Soto, cortesía del fotógrafo.

moroso, lo inalcanzable o lo exclusivo. Vestir no es un lujo. Por lo menos no en nuestra sociedad, no en México.

El valor que le damos a nuestras piezas, ya sea como prendas o como medios de expresión, podría ser más enriquecedor si se conoce lo que hay detrás de esa creación. Gente apasionada con sed de crear nuevos universos estéticos; profesionales que defienden la importancia de la moda, que apuestan por nuevos caminos creativos, que no le temen a la provocación y que buscan sembrar nuevos pensamientos e ideologías que derrumben de una vez este falso espectro de la moda como un espectáculo, como solo una feminidad, como un interés banal.

El contexto de la moda termina en una estampa histórica; es una identificación de cada época. Es ahí cuando la moda trasciende a la historia, cuando deja de ser algo en tendencia para convertirse en historia.

Olivia Meza de la Orta

Editora, periodista y académica de moda. Actualmente dirige su proyecto editorial *MEOW* y es profesora de Periodismo de Moda en TALLER Fashion Development. Comenzó su carrera profesional en la revista *Nylon México*, Another Company y Kenzo LVMH. Fue editora de moda de las revistas *QUIÉN*, *Life & Style* y *Código*.

Foto: Estilismo de Daniel Herranz para FashionWeek.Mx fotografiado por Ramón Arana, cortesía de Fashion Week México.

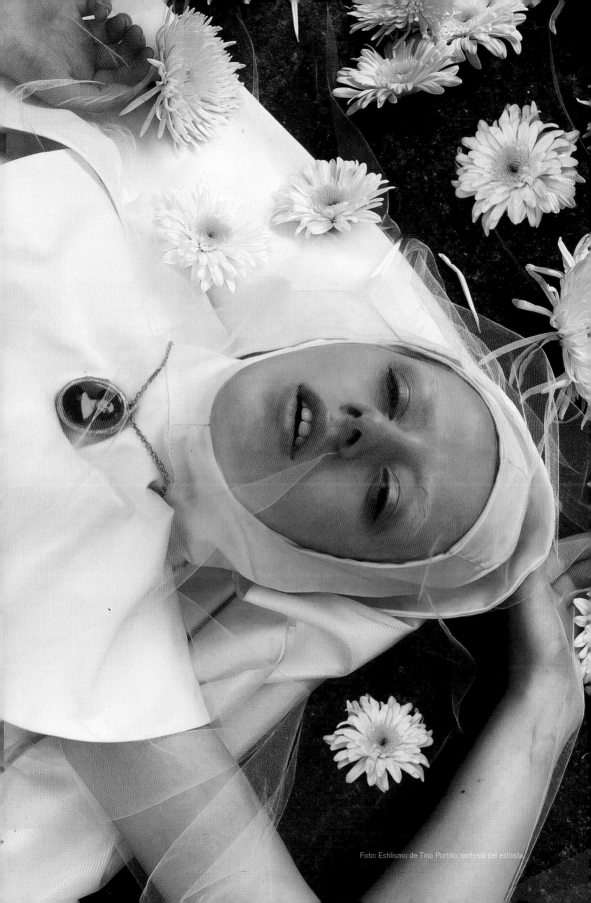

Capítulo Siete

CREATIVIDAD HECHA EN MÉXICO

Las últimas dos décadas de la moda hecha en México cierran 2019 con una escena fortalecida. No solo aumentó el reconocimiento del consumidor mexicano, sino que también la moda se conjugó en tiempo presente, lejos de antiguos estatutos y con nuevas metas. La moda nacional concluye este periodo con una propuesta diversificada, donde distintos estilos y géneros encuentran marcas que los representan.

Foto: Campaña de Alfredo Martínez fotografiada por Ricardo Ramos, cortesía Alfredo Martínez.

La evolución de la industria de la moda en México no ha sido lineal, sino más bien progresiva. El periodo que abarca este libro, 1999-2019, ha sido el más fructífero, pero también ha sido una época de marcas fugaces, que solamente han logrado permanecer activas durante un par de temporadas. En este periodo hemos visto, además, el crecimiento de fotógrafos y *stylists*, cuyos nombres empiezan a popularizarse tanto como los de diseñadores. Mientras tanto, buscamos que crezca el reconocimiento de esta industria, la promovemos, la cuestionamos o incluso la juzgamos, pero siempre llamándola «la moda mexicana». ¿Qué entendemos, pues, por «moda mexicana»?

Describir al diseño que se hace en nuestro país tan solo por su nacionalidad quita la vista sobre otras cualidades que, de hecho, lo hacen más atractivo. Si bien, el lugar de origen es un punto de referencia, son pocos los que deciden comprar una pieza solo porque está hecha en cierto país. La mayoría de los consumidores buscan prendas cuyo diseño sea atractivo o cuyo discurso de marca conecte consigo. A aquello que describimos como «lo mexicano» se le otorga, a veces, la connotación de artesanal o relativo al folklore, cuya estética se enfoca en reflejar la cosmovisión de una cultura. El diseño, por su parte, sigue una metodología para resolver

Foto: *Backstage* de Kris Goyri fotografiado por Eugenio Schulz, cortesía del fotógrafo.

un problema, y sus cualidades estéticas pueden ser decisiones mercadológicas o tendencias contemporáneas. Es por ello que sería un error atribuirle al diseño hecho en México estereotipos que en realidad son reflejos (si bien hermosos) de la cultura folklórica mexicana.

En realidad, la industria que existe hoy en el ámbito de la moda nacional va mucho más allá de un lugar de origen. El diseño hecho en México representa creatividad, innovación, calidad, diversificación, crecimiento económico y oportunidades laborales. Se ha construido con el trabajo de manos tanto nacionales como extranjeras, como las diseñadoras Vanessa Guckel (de origen francés) o Sandra Weil (de origen peruano); con el esfuerzo de cientos de manos maquiladoras que llegan a México en calidad de migrantes; o con el trabajo de mexicanos que residen en el extranjero, como Ricardo Seco, Víctor Barragán o Paola Hernández.

Diseñadores

Al término de la segunda década de los 2000, los diseñadores que conformaban la moda hecha en México podían clasificarse de muchas maneras, empezando por ejemplo, por los caminos de profesionalización: los había quienes estudiaron en México en la Universidad Iberoamericana, como Cristina Pineda (Pineda Covalín); en Casa de Francia, como Kris Goyri; en CENTRO, como Paola Wong (Pink Magnolia); o en el CIME en Guadalajara, como Alfredo Martínez; por otro lado, estaban los diseñadores que se formaban en Europa y regresan a México a establecer su marca, como Cynthia Buttenklepper y Lorena Saravia en Barcelona, o Alexia Ulibarri y Armando Takeda en Londres.

También podemos hablar de un grupo sobresaliente de creativos sin una educación formal en diseño de moda: Vanessa Guckel (Cihuah), arquitecta de profesión; Andrés Jiménez (Mancandy), fotógrafo; Iván Ávalos, que se considera autodidacta; César Flores (Ocelote), con formación en administración de empresas, o Víctor Barragán, que tiene a la cultura visual como academia.

Si los categorizamos geográficamente podemos ver que la moda sigue centralizada en la Ciudad de México, pero existen algunas iniciativas que buscan despuntar a la industria en otras ciudades. Julia y Renata, por ejemplo, han encabezado un movimiento de diseño en Guadalajara con el bazar Albergue Transitorio; Alfredo Martínez, por otra parte, no solo está establecido en aquella ciudad de occidente, sino que además ha hecho exitosas colaboraciones con empresas jaliscienses, como Dione o LOB Moda.

Así, la industria se ha fortalecido porque las marcas han sabido diversificarse en diferentes estilos (ropa casual, accesorios, ropa deportiva, ropa masculina, etc.), modelos de negocio (desde el tradicional «hecho a la medida» hasta distintas plataformas de comercio en línea) y propuestas de valor (marcas con un enfoque social o marcas con enfoque sustentable) que satisfacen a distintos consumidores. Podemos ver un ligero cambio en la cultura de la moda y en la imagen del diseñador, quien ya no se percibe tanto como un modista que solo crea vestidos de noche, sino como un profesional que puede convertir su propuesta creativa en un negocio. El abanico de líneas que siguen activas hoy demuestra que no hay una sola fórmula para ser exitoso en México y que el mercado es muy amplio.

Foto: Desfile Alexia Ulibarri, cortesía de Fashion Week México.

Te presentamos una antología de diseñadores que conforman la escena nacional en 2019. Esta es solo una selección de algunos representantes de la moda mexicana, activos actualmente. Con un poco de indagación encontrarás que existen muchas otras marcas mexicanas que conforman el panorama de la industria, te invitamos a que lo hagas. Por lo pronto, puedes encontrar los puntos de venta de las marcas incluidas en este capítulo en el directorio que se encuentra al final de este libro. Hemos optado por agruparlos en los siguientes estilos básicos:

Lo femenino › Algunas marcas han sabido resaltar un lado muy femenino de la mujer a través de un perfecto entendimiento de su cuerpo y mostrando que no hay límite al combinar materiales como lentejuelas, cuero, bordados, chiffon o estoperoles. Estas marcas nos han llevado a través de divertidos universos, como el de las sirenas, el de las mariposas o el de las brujas, lo cual agrega un poco de teatralidad a estas colecciones. Con esto nos recuerdan que, al final

Foto: Desfile de Pink Magnolia, cortesía de Fashion Week México.

del día, la moda también es la posibilidad de jugar a ser un personaje distinto cada día. Algunas marcas que comparten esta esencia son las siguientes:

Pink Magnolia, de las hermanas Paola y Pamela Wong, ha hecho del rosa toda una institución, y la ha perpetuado a través de su línea *ready-to-wear*, y con las submarcas que han ofrecido en Liverpool (Sister) o en la desaparecida Comercial Mexicana (El Clóset de Vainilla), en su momento. Además, han sido la mancuerna perfecta para colaboraciones con marcas como Barbie o Disney. Esta marca ha destacado tanto por su propuesta creativa como por su visión para los negocios, ambas tareas en las que la mancuerna de hermanas Wong ha sido clave.

Alexia Ulibarri, por su parte, crea divertidas piezas que combinan flecos, transparencias, estampados y aplicaciones bordadas que evocan elementos *vintage*, inspirados en mujeres igual de enigmáticas, como la artista Leonora Carrington, la curandera María Sabina o la escultora Camille Claudel. Ulibarri ha sabido posicionarse lento pero seguro en Estados Unidos, y diversificar su propuesta con productos que van desde camisetas hasta vestidos de novia.

Foto: Desfile de Lorena Saravia, cortesía de Fashion Week México.

Iván Ávalos hace una minuciosa exploración de temas, como la cultura japonesa, la década de los cincuenta, el mundo del box, o el universo de las brujas, los cuales se traducen en colecciones cargadas de maximalismo, donde cada elemento de estos universos encuentra traducciones precisas en telas, aplicaciones o accesorios como estoperoles, cueros, sedas, aplicaciones bordadas, sombreros, moños, *fur* y hacen que cada elemento cuente una historia. Este diseñador, originario de Hidalgo, destaca por su formación autodidacta. Su talento lo llevó a ser uno de los finalistas del concurso México Diseña en 2013, organizado por la revista *Elle*.

Lo geométrico › Existen marcas que coinciden en un estilo geométrico, con elementos angulares muy marcados y siluetas sobrias, despreocupadas por seguir tendencias. En este grupo identificamos a Lorena Saravia o Vanessa Guckel, con Cihuah, cuyas colecciones rompen el tradicional moldeado en maniquí o los moldes básicos para demostrar que las figuras sencillas pueden crear formas complejas.

Foto: Dan Crosby, cortesía Cihuah.

Lorena Saravia ha sabido satisfacer las necesidades de la mujer contemporánea, utilizando el negro como estandarte, regularmente acompañado de materiales que agregan texturas, como *fur*, cuero, flecos o plumas, y que contrastan con sus negros lisos. Lorena, además, ha mostrado amplia visión comercial al conquistar *retailers* como Saks Fifth Avenue, Liverpool o Palacio de Hierro, entre otros, y posicionarse con una tienda insignia en la avenida Presidente Masaryk en la Ciudad de México.

Cihuah, de Vanessa Guckel, hace un tratamiento arquitectónico del cuerpo, el cual viste a través de siluetas que derivan de figuras geométricas, casi siempre en blanco y negro. Sus colecciones se distinguen por tener ligeras variaciones progresivas entre ellas, pero conservando elementos como la asimetría y la monocromía. Su trabajo la ha llevado a ser tres veces finalista del premio Who's On Next de la revista *Vogue*.

Lo minimalista › Podemos identificar, también, un estilo que aboga por la simplicidad y el mínimo uso de elementos, como textiles lisos en lugar de estampados y siluetas holgadas que difícilmente se ciñen al cuerpo no como una búsqueda por cubrirlo, sino como el resultado de una fuerte exploración textil y conceptual. Este lenguaje permite lograr prendas inusuales, sencillas y versátiles, por lo que tienen buen éxito comercial. Estos son algunos de sus representantes:

Cynthia Buttenklepper, con su marca homónima, encuentra constante inspiración en la naturaleza, no solo como tema para la colección sino también en el uso de materiales como cuero, algodón y seda. Este último es parte esencial de su lenguaje, y es a través de la seda que crea piezas vaporosas y ultrafemeninas, casi siempre en una paleta de terracotas y verdes, como otro guiño a la naturaleza. Con casi una década de trayectoria, Cynthia entiende a su clienta a la perfección.

Guillermo Vargas, creador de 1/8 Takamura, muestra un completo conocimiento de diferentes procesos textiles y de confección. Más allá de hacer moda, el diseñador se caracteriza por su amor a la construcción de prendas. En su taller recrea procesos artesanales, hace experimentaciones textiles o manipulación no convencional de distintos materiales. El resultado son prendas de construcciones complejas, pero esenciales en el guardarropa: camisas, pantalones, vestidos o abrigos que se constantemente se vuelven piezas de conversación.

Shinae Park considera a su marca como un campo de juego para reunir lo oriental con lo occidental. La diseñadora de origen coreano utiliza delicadas telas de algodón y lino en tonos neutros, traídas de su país natal para crear prendas de construcción sencilla que destacan por su sutileza, inspiradas en temas tan sencillos como los campos de algodón o los de trigo. Park es otro ejemplo de que la moda hecha en México no se construye solo por manos mexicanas.

Foto: Serie Campaña Shinae Park fotografiada por Fernanda Segura, cortesía Shinae Park.

Paola Hernández ha forjado por más de una década un estilo que traduce ideas filosóficas, como la geometría sagrada o la sociedad del espectáculo, en sus colecciones. Esto la lleva a proponer, por ejemplo, las transparencias como una representación del mundo espiritual, y lo opaco como el mundo material. Esta diseñadora, que actualmente reside en Nueva York, resalta también por su trabajo en zapatería y en tejido de punto.

Julia y Renata, diseñadoras ya consagradas con un cuarto de siglo de carrera, han logrado una maestría en la construcción de prendas modernas que casi siempre apelan a siluetas holgadas, monocromáticas y asimétricas, que sorprenden a nivel de detalle y con potencial de sobrevivir al paso de las temporadas. La exploración y manipulación textil es su mayor fortaleza, no necesitan ninguna aplicación o elemento que agregar a sus diseños y este lenguaje estético las ha convertido en las dueñas de una de las marcas con mayor trayectoria en la industria.

Lo básico › Por otro lado, existen líneas que demuestran que hacer piezas básicas puede llegar a ser algo complejo y que materializan prendas que todo armario necesita, asegurando éxito comercial. Al mismo tiempo, estos diseñadores se permiten algunos riesgos ya sea en detalles de prendas o en *styling*, pero siempre con una visión funcional.

Ocelote, de César Flores, toma precisamente este concepto como bastión al asegurar que «la simplicidad es la forma más compleja de expresión»,[58] pero, al mismo tiempo, sabe hacer piezas memorables con detalles únicos que pueden ser texturas, colores contrastantes o ligeras variaciones de cuellos o mangas. Ocelote ofrece prendas versátiles y unisex que se adaptan a varios estilos, tanto de vestir como de vivir. La marca se ha consolidado de tal manera que en 2019 aseguró una colaboración con Nike para presentar su colección otoño-invierno 2019.

Maison Manila, creada por Rossana Díaz del Castillo, reinventa piezas clásicas para hombres y mujeres, que se vuelven atractivas por el uso de

---

58 «Acerca de OCELOTE». [En línea] <https://www.ocelote.net/contacto/acerca-de/>

materiales de alta calidad. Además, la ropa de Manila pareciera ser un sistema calculado, que se mezcla perfectamente entre sí, sin que ninguna pieza busque protagonismo sobre la otra. Un aliado de Maison Manila es la practicidad de sus prendas, muchas de las cuales carecen de botones y cierres y que hacen más sencilla la experiencia de uso.

Laura Carrillo tiene una larga trayectoria en la industria de la moda. Como *stylist*, su nombre está en decenas de campañas para tiendas departamentales, y como diseñadora ha mostrado tener un gran interés por satisfacer necesidades cotidianas de sus clientes al momento de vestirse. Esto se traduce en sus dos líneas, Chabe y Boyfriend's Shirt, que se alinean a las tendencias, pero son traducidas de una manera funcional, la primera para mujeres y la segunda para hombres.

Arkatha, de las hermanas Ariane y Thalía Navarro, es un universo de siluetas atractivas y asimétricas que se inclinan por lo deportivo, a partir de materiales o detalles que hacen de su línea una cómoda variación para el día a día. Vestidos, chamarras y rompevientos casi siempre en tonos neutros son algunos de los refinados básicos que las definen y que les han valido alianzas como una colaboración con Nike en 2019.

Lo alternativo › Existe también una rama de la moda muy necesaria que cuestiona tanto a la industria como a instituciones sociales que inevitablemente impactan en la moda. Estas marcas generalmente ganan cobertura por lo arriesgadas que se perciben sus colecciones, e incluso muchas veces se juzga la falta de enfoque comercial, sin realmente entender a sus creaciones como discursos que también enriquecen a la moda. En esta categoría encontramos a:

Mancandy, la marca del diseñador Andrés Jiménez, cuyo estilo puede describirse como *streetwear* de lujo: piezas de uso cotidiano, casual y muchas de ellas unisex, como chamarras, accesorios o incluso camisetas. Sus prendas tienen detalles únicos como gráficos, texturas o cortes, que los convierten en objetos de deseo (como el nombre de la marca lo sugiere). Mancandy propone un estilo de vida urbano y sin etiquetas a través de la moda, y también, de la música.

Foto: Look Marika Vera para FashionWeek.Mx, cortesía Fashion Week México.

Bárbara Sánchez-Kane, quien declara inspirarse en el caos emocional, inicia conversaciones a través de su marca sobre temas actuales, como la crisis del agua, la violencia de género, los migrantes mexicanos o los tabúes sexuales. Sánchez-Kane utiliza el cuerpo como un lienzo, no para vestir y favorecer su anatomía, sino para evocar preguntas a partir de un *performance*. Bárbara asegura que «la moda puede ser la cosa más pura y con alma, o lo más vacío».[59] En 2019, Bárbara presentó la colección otoño-invierno Las Puertas al Sentimentalismo, la cual abre el debate sobre la masculinidad en México, al atribuir características femeninas, como escotes, medias, tacones o rosas, a prendas masculinas.

Barragán, una marca que destacó primero en Nueva York y París antes de llegar a México, está encabezada por el mexicano Víctor Barragán, quien desafía prejuicios de género al mezclar símbolos socialmente aceptados como masculinos o femeninos para cuestionarlos. El resultado son colecciones que resultan arriesgadas, pero que sabe complementar al diversificar su oferta con camisetas o calcetines en las que bajan los mismos conceptos, hoy con puntos de venta en cuatro continentes.

Malafacha, sin duda, ha sido un precursor clave de este estilo. Por más de dos décadas, Francisco Saldaña y Víctor Hernal han explotado su creatividad para tocar temas sociales. El nombre de su marca en la moda mexicana es sinónimo de riesgo, rebeldía y de conceptualización traducida a indumentaria. A través de sus colecciones han abordado temas culturales como el desplazamiento de comunidades, el mercado de Sonora o la danza butoh, hasta temas más lúdicos, como Bob Esponja o el Universo Marvel. El espíritu joven, arriesgado y contestatario de Malafacha sigue siendo necesario en la industria.

Lo clásico › Lo opuesto de la arriesgada tendencia que acabamos de mencionar serían quizás aquellas marcas de estilo más tradicional, que no buscan adaptarse rápido a las tendencias ni generar un discurso disruptivo, pero que comercialmente son un éxito ya que responden a un nicho fuerte en México: el conser-

59 Nájera, María, «Bárbara Sánchez-Kane» en *Coolhunter*, 31 de agosto de 2017. [En línea] <https://coolhuntermx.com/barbara-sanchez-kane/>

Foto: Campaña de Alfredo Martínez fotografiada por Ricardo Ramos, cortesía Alfredo Martínez.

vador. Es curioso que muchos de estos diseñadores tienen una herencia fuerte de la moda en su familia, como Sandra Weil o Kris Goyri, quienes heredan de su abuela y bisabuela, respectivamente. Llama también la atención tanto la pasión como algunas herramientas o materiales con los que trabajaban.

Sandra Weil cubre distintas necesidades de la mujer, desde piezas casuales, vestidos de noche, hasta vestidos de novia. Ha desarrollado un lenguaje de refinamiento y atención al detalle que resulta en piezas que reflejan lujo cotidiano. Su excelente manejo de los rasos y las gasas en piezas clásicas la hacen favorita de muchas generaciones y su atención al detalle genera prendas irrepetibles.

Armando Takeda, por su parte, resuena con la mujer sofisticada que se permite algunos riesgos. Sus colecciones nunca usan tan solo un par de telas, sino que sorprenden por incorporar piezas tejidas, holanes, plisados, bordados de artesanos mexicanos, parches o lisos completos, lo que demuestra el manejo de un gran vocabulario textil. Además, algunos de ellos, como los *tweeds*, son diseñados por Takeda y fabricados por el mismo proveedor de Chanel. La excelencia en su trabajo fue premiada por la revista *Vogue* a través del certamen Who's On Next en 2016.

Alfredo Martínez, por otro lado, celebra la feminidad inspirado en las mujeres de su familia. Hablar de esta marca es hablar de elegancia y distinción, pero también de piezas que saben adaptarse a su tiempo y a distintos tipos de cuerpos. Es de los pocos diseñadores que realmente piensa en un *total look*, desde los básicos vestidos, blusas, pantalones y faldas, hasta piezas exteriores, accesorios y zapatos. También es de los pocos diseñadores que están impulsando la escena de la moda en la ciudad de Guadalajara.

Benito Santos destaca igualmente en este estilo clásico y, si bien, el término *alta costura* es exclusivo de la industria francesa, el nivel de confección de este diseñador tapatío no tiene nada que pedirle. Su experiencia en materiales como encajes, plumas, rasos y tules, además de un dominio completo del bordado a mano, lo vuelven favorito entre las novias y celebridades. La pieza que lo catapultó a la fama fue el vestido rojo que diseñó para Ximena Navarrete en 2010, para la final de Miss Universo, con el que ella fue coronada.

Kris Goyri, otro representante de este estilo clásico, crea el equilibrio perfecto entre sensualidad y elegancia, algo que lo convierte en el favorito de clientas de diferentes gustos y edades. Sus siluetas vaporosas se han vuelto básicas en las piezas que llevan su firma, y la inspiración suele venir del mundo del arte o hasta de temas mexicanos, como el ojo azteca o la mujer rarámuri. Aunque son las prendas refinadas lo que lo distinguen, Goyri sobresalió en 2017 por una colección presentada en el Ángel de la Independencia, donde incluyó camisetas con palabras como MEXICANA, VIVA, MAGA, con las que el diseñador describe y representa a la mujer mexicana.

Lo masculino › Muchas de las marcas anteriores crean prendas tanto para hombres como mujeres, pero aquellas que se han dedicado exclusivamente al mercado masculino son muy pocas. Por una parte, tiene que ver con que este nicho no adopta tendencias fácilmente, toma pocos riesgos y, además, compra con mucha menor frecuencia. Si este recuento cubre los últimos 20 años de la moda, es hasta los últimos cinco que hemos visto una propuesta más grande en la moda masculina mexicana gracias a los siguientes diseñadores:

Galo Bertín, a través de la marca con la que comparte nombre, refleja un profundo conocimiento y uso del arte sartorial, que se traduce desde el clásico traje de tres piezas hasta algo más casual, como *joggers* y *bomber jackets*. Galo Bertín busca preservar el estilo clásico del hombre, invitándolo de vez en cuando a salir de su zona de confort. Su tienda insignia de encuentra en la ciudad de Querétaro.

The Pack es la oportunidad del diseñador Patricio Campillo para darle voz al *menswear* y a la mano de obra justa, dos conceptos que difícilmente se han abordado en México. Patricio sabe diseñar para lo cotidiano, con materiales de gran calidad e inspirado en movimientos sociales como la contracultura de Japón en la posguerra, o algo más cercano como pachucos y cholos, que resultan en una propuesta fresca.

Anuar Layón ha sido un representante clave de la moda masculina en México. Mientras muchos buscan piezas irrepetibles, este diseñador logró que cientos de personas usaran la misma chamarra. El mensaje de «*Mexico is the shit*» fue un fenómeno mediático importante que lo colocó en el ojo de la industria y que impulsó la marca que lleva su nombre, logrando hacer una colaboración con Nike, pero también impulsando el nombre de Prima Volta, su otra línea de *menswear* que destaca por el uso de mezclilla y cuero.

Lo íntimo › Finalmente, un nicho que ha sido explorado exitosamente, sobre todo al final de las últimas dos décadas, es el de la lencería. Esto tiene que ver con el incremento de la conciencia social sobre la sexualidad femenina, que en el mundo de la moda ha encontrado el respaldo en marcas mexicanas, como Marika Verga o HUA Lingerie, las cuales han celebrado un aspecto de la mujer que por muchos años relegó.

Marika Vera logró que su afición se convirtiera en una empresa al crear su propia línea de lencería después de mucho tiempo de desempeñarse como *stylist*. Para ella, la lencería es un elemento de poder, y a través de sus piezas permite cubrir o descubrir distintas partes del cuerpo de la mujer en juegos interesantes que pueden usarse dentro o fuera del dormitorio. Esta marca despertó un interés por la lencería que solo ella ha sabido satisfacer, tanto en el mercado nacional como en el internacional.

Foto: Look Boyfriend's Shirt para Fashion Business Review fotografiado por Carolina Campobello, cortesía Fashion Week México.

HUA **Lingerie** es una marca de lencería creada por Patricia Garza y Siouzana Melikian, una mancuerna de actrices de profesión, pero que demuestran que para crear prendas que conquisten el guardarropa femenino basta con saber qué buscan las mujeres. Dominan el lenguaje del bordado y los encajes, los cuales son aplicados a las piezas tradicionales de ropa interior, pero también en algunos *bodies* y vestidos.

Así, todos estos diseñadores y marcas han demostrado que no hay una sola manera de hacer moda en México y que la diversificación que ha adquirido es una de sus principales fortalezas. Podemos esperar que este crecimiento siga en los años por venir pues, al final, la creatividad es exponencial.

La celebración
de un nuevo discurso

El eslabón más notorio de la moda es el diseñador, sobre todo si hablamos de marcas homónimas. Y aunque este libro trata de visibilizar a la mayor cantidad posible de los actores que forman parte de la industria, no podemos negar que el círculo arranca aquí. Arranca con el que resuelve el problema (aquel que, dijimos, que viene a solucionar el diseño), con quien crea una idea, con quien la conceptualiza para que un grupo de personas la convierta en una prenda y comience una cadena de acciones para que esta idea se convierta en algo tangible y llegue a las manos del consumidor.

En este apartado —queremos volver a mencionarlo— no están todos los exponentes de la moda nacional. El directorio al final de este libro cuenta con un listado más completo de marcas y creadores. Aquí hicimos una breve selección basados en una categorización por estilos, con los proyectos más representativos de estos últimos 20 años que, como ya hemos dicho, han sido los más fructíferos de la moda mexicana hasta la fecha, en términos creativos y publicitarios.

Si bien, el TLC jugó en contra de la industria y aún tenemos algunas cosas que debemos trabajar (como mejorar el engranaje entre todos los actores de la industria y seguir explorando los modelos de comercialización), la entrada del diseño con etiqueta local en el calendario de la moda global a través de Fashion Week Mexico City le dio visibilidad al talento nacional, y la profesionalización le dio herramientas para desarrollar la creatividad y estructurar las diferentes aristas que componen el negocio.

Vamos a detenernos en este último punto: la creatividad. Esta generación de diseñadores mexicanos ha tenido la capacidad de literalmente darle la vuelta a la estética local. De alejarla de los cánones que durante muchos años habían posicionado a México —sin moverse mucho de allí— con una imagen más inclinada hacia lo folklórico, para empezar a crear otro discurso, que si bien no olvida las raíces y el folklorismo y se nutre enormemente de ellas, plantea otra conversación, más contemporánea, que propone una experimentación que habla y que muta (como Mancandy, quien fue de diseñador a reguetonero y cuya música se nutre de su propuesta de diseño), que aprovecha la coyuntura política

Foto: Campaña de Kris Goyri, cortesía Kris Goyri.

(como Anuar Layon con *Mexico is the shit* y la llegada de Trump al poder con su discurso anti mexicanos). De eso se trata de moda, de hablar, de contar las historias —y hasta las luchas— de la época en la que vivimos.

El diseñador es quien inicia el ciclo de la moda, y aunque repetimos infinidad de veces a lo largo de este libro que sin el conjunto y el esfuerzo colectivo no hay industria, este apartado y, de alguna manera, el propio libro, así como las fechas que escogimos para desarrollarlo, son una celebración a esta nueva conversación, a esta nueva historia. Son una ovación a esta creatividad naciente.

Sí, gracias a este grupo de creativos mexicanos, que han trabajado en las últimas dos décadas por darle otra cara a la moda nacional, es que este proyecto que está en tus manos existe. Y por ellos celebramos hoy.

Foto: Campaña Alfredo Martínez fotografiada por Antonio y Daniel, cortesía de Alfredo Martínez.

Foto: Campaña Alfredo Martínez fotografiada por Antonio y Daniel, cortesía de Alfredo Martínez.

Capítulo Ocho

LA MODA COMO AGENTE DE CAMBIO

Como industria, la moda tiene, inevitablemente, impacto en el ambiente y en la vida de las personas que conforman la cadena de producción. No obstante, cada vez hay más marcas y diseñadores mexicanos que buscan generar un efecto positivo en comunidades de artesanos, en las maquilas y en el ambiente, ya sea a través de su modelo de negocio o de su creatividad.

En el ecosistema global de la industria de la moda, el fin del siglo xx y el principio del xxi se caracterizaron por la automatización de procesos, la incorporación de tecnologías a la línea de producción y el uso de materiales sintéticos como el nylon o el poliéster, o de materiales modificados como el algodón transgénico, cuyo cultivo es más abundante y es resistente a las plagas. Si bien, algunos de estos cambios han sido catalizadores, también han traído daños ambientales, omisiones en derechos humanos, un incremento de toxicidad en las materias primas y la desvalorización del trabajo manual y artesanal. Lo anterior se registró en el documental *The True Cost* en 2015, el cual mostró la realidad de las condiciones laborales de la gente que trabaja los campos de algodón y en las fábricas en Asia que maquilan para las principales marcas en Estados Unidos y en Europa.

Sin embargo, este tema se ha centrado principalmente en la producción de los países de Asia, por lo que no hay mucho registro de lo sucedido en nuestro país en relación con la moda y la sustentabilidad. Conforme la voz del impacto que tiene la industria ha logrado hacer más eco, han surgido nuevos proyectos que ven al producto textil como un agente con la capacidad de lograr cambios sociales y ambientales. En México, empezaron a surgir diversas iniciativas con este afán en la década de los noventa, cuando la producción industrial comenzó a exponenciarse a tal grado que, tanto consumidores como diseñadores comenzaron a reencontrar valor en las piezas únicas creadas por artesanos mexicanos. Diseñadoras como Lydia Lavín o Carla Fernández comenzaron a interesarse en la preservación de técnicas que son heredadas por las comunidades a lo largo de muchas generaciones. Este fue el origen del rescate de la tradición textil mexicana, una de las más grandes en el mundo, no solo con alto valor cultural para nuestro país, sino como continua fuente de trabajo para comunidades indígenas y, sobre todo, un símbolo de su identidad.

Eso trajo a colación un cuestionamiento importante: ¿existe un límite entre la artesanía y la moda o ambas discurren en una línea que, en ocasiones, se intersecta? El hecho es que existe una gran belleza en la historia de los textiles tradicionales que han inspirado la moda, que a su vez ha transformado la artesanía en un discurso contemporáneo que habla del pasado de México desde el terreno de la indumentaria.

La artesanía ha sido fuente de inspiración e incluso de plagio por parte de marcas extranjeras y, dado que es imposible proteger estas creaciones bajo una patente (al no ser una invención reciente) o bajo los derechos de una obra de autor (los cuales protegen obras musicales, literarias o plásticas exclusivamente), el trabajo de estas comunidades resulta vulnerable. Firmas internacionales como Isabel Marant en 2018, Mango en 2017 y Carolina Herrera en 2019, son algunas de las que han causado controversia por plagios sobre la herencia artesanal mexicana. El debate se concentra en dos puntos: hasta dónde llega la apropiación cultural, así como la relación del diseño propio y el plagio; y, segundo, la falta de colaboración entre estas marcas con las comunidades y poblaciones rurales para el desarrollo de estas colecciones. En México, el tema ha tenido una evolución diferente. Hemos visto colaboraciones entre diseñadores, artesanos y los procesos antiguos han creado una cadena de producción que no solo resulta en piezas contemporáneas de gran valor, sino que también ha asegurado empleo a familias o comunidades enteras. Sin embargo, en años más recientes fue evidente que no solo el sector artesanal debía ser atendido, sino que el crecimiento industrial de la producción de moda había traído grandes consecuencias, como las que mencionamos al principio, expuestas por el documental *The True Cost*.

Así, durante la década del 2010, la tendencia mundial de virar hacia nuevas y mejores prácticas que garanticen tanto la calidad de vida de las personas involucradas en la cadena de producción, como el uso de materiales nobles con el ambiente, generó la llegada de nuevas marcas que se alinearon a esta idea de sustentabilidad, como Eilean Brand o Alejandra Raw. A continuación hacemos un recuento de los diseñadores y marcas que hacen que la moda sume y no reste a las manos, materiales y lugares que la crean:

Carla Fernández es una de las precursoras en este tema. La diseñadora coahuilense fue cercana desde muy chica al trabajo artesanal gracias a la influencia de su padre, historiador de profesión. El trabajo de Carla celebra las técnicas tradicionales de creación de indumentaria, aplicadas a prendas con una fuerte conceptualización de diseño y que hoy, gracias a ella, llegan a diferentes ciudades en el mundo. Su metodología de diseño se concentra en Taller Flora, un laboratorio que viaja cada dos meses a comunidades artesanales para aprender sus técnicas de confección de prendas o de manipulación textil, como tejidos o bordados, y después estudiarlas en su taller en Ciudad de México para incorporarlas a su lenguaje de diseño y traducirlo en sus colecciones, sin caer en el folclorismo. Por ejemplo, muchas de sus prendas destacan por el uso de lienzos completos, sin ceñirse al cuerpo y, por lo tanto, genera piezas que se adaptan a distintos géneros y edades.

Pineda Covalín. La hazaña de los diseñadores Cristina Pineda y Ricardo Covalín empezó durante la universidad, cuando se acercaron a distintos grupos de artesanos para desarrollar productos de fácil comercialización. Más de dos décadas de trabajo después, han desarrollado un perfecto posicionamiento de marca con decenas de puntos de venta a lo largo de la república y en el extranjero. Pineda Covalín ha tomado como misión enaltecer la cultura nacional al plasmar lo mexicano en exquisitos productos que van desde prendas de vestir, hasta calzado y accesorios.

Lydia Lavín, diseñadora que también ha destacado por su trabajo con comunidades, inició su marca en 2005, tras un largo periodo de investigación en el Instituto Nacional Indigenista, donde se dio cuenta de la importancia de preservar técnicas textiles que quedaban perdidas en el tiempo. Su trabajo se ha concentrado en los bordados y tejidos tradicionales aplicados a una diversidad de piezas. Muchas de las comunidades con las que Lydia comenzó a colaborar en Oaxaca, Puebla y Guerrero siguen colaborando con ella actualmente, pero ahora son las hijas o nietas de aquella generación. A través de cada una de sus colecciones, la diseñadora busca dar foco a diversos problemas sociales que enfrenta el país, desde la extinción de ciertas especies, hasta el apoyo para las familias afectadas por el sismo del 19 de septiembre de 2017.

Fábrica Social fue creada en 2007 por la diseñadora industrial Dulce Martínez. Esta iniciativa funciona como una escuela rural que imparte herramientas de diseño en comunidades para ayudarles a acercar sus productos a otro tipo de mercado. La libertad creativa de los artesanos se respeta al cien por ciento y trabajan bajo estrictos estándares de comercio justo y autonomía. La demanda de sus productos ha generado la apertura de dos tiendas propias en la Ciudad de México.

BSCS (Básicos de México) es una marca que busca hacer un cambio en la calidad de vida de quienes conforman la cadena de producción. El proyecto de Daniela Gremion y Valerie Benatar logró crear, a través del *crowdfunding*, una línea de piezas básicas de tejido de punto: camisetas, vestidos y sudaderas, todos de algodón y en colores básicos. Más que una marca, BSCS se considera una iniciativa como forma de maquila justa, pues garantizan calidad desde la tela hecha en México hasta la calidad de vida de sus trabajadores, al asociarse con pequeñas cooperativas de trabajo.

Someone Somewhere es una marca que ofrece prendas básicas como camisetas, mochilas, sudaderas o gorras, con detalles creados por técni-

Foto: Desfile de Yakampot en el Monumento a la Independencia, cortesía Fashion Week México.

cas como telar de cintura, telar de chicotillo, bordado a mano o pepenado. Cuentan con una red de 180 artesanos en Puebla, Oaxaca, Chiapas, Hidalgo y Estado de México y, como lo dice su nombre, buscan dar visibilidad a la persona y el lugar en el que se fabrican sus productos al incluir una etiqueta con el nombre y el sitio de la fabricación de cada producto.

Amor & Rosas, creada por Laura Meléndrez, es una prueba de la maestría en bordado de muchas comunidades en México. Esta marca crea prendas en siluetas contemporáneas, con un ojo en las tendencias, en textiles sustentables como cáñamo y con exquisitos detalles bordados a mano por alguno de los 80 artesanos con los que colaboran en Hidalgo, Chiapas y Estado de México. Este proyecto lleva una filosofía de procesos transparentes y altos estándares ambientales y, por encima de todo, un gran compromiso social. No solo se trata de dar voz a sus artesanos a través de su trabajo, también es poner especial atención al contexto en el que viven las comunidades. En junio de 2019, Laura generó una campaña para apoyar a Pedro, un joven gay que vive en situación de riesgo al pertenecer a una comunidad altamente conservadora ubicada a las afueras de San Cristóbal de las Casas, Chiapas. El movimiento se concentró en la venta de una playera que aplaudía el mes de la inclusión para recaudar fondos para Pedro, un apasionado de la moda que poco a poco se ha ido introduciendo al arte *drag*.

Yakampot, creada por la empresaria Concha Orvañanos en 2011, retoma el nombre de una comunidad en Chiapas para crear exquisitas prendas que también emplean a decenas de comunidades a lo ancho de la república. Si bien, la marca crea piezas con telar de cintura, bordados o brocados, el resultado final dista mucho de la indumentaria tradicional o los trajes típicos. Desde su inicio en 2011 hasta 2019 fue Francisco Cancino, quien se encargó de la propuesta creativa, inspirado en comunidades y personajes tradicionales, como las mujeres zapotecas o los concheros. A partir de esa fecha Huguette Hubard es quien retoma esta labor.

Claudia Toffano, en el sector de novias, crea piezas que son bordadas por comunidades del Estado de México y Puebla. Sus diseños son de sencillas siluetas en rasos europeos, y esta simplicidad ayuda a que los bordados destaquen por sí mismos al poner la atención en el detalle. Estas colaboraciones les aseguran a las artesanas un trabajo bien remunerado y que enaltece técnicas que han sido heredadas de generación en generación.

Eilean es una marca que ha destacado también por llevar la sustentabilidad como bandera. Esta marca, con sede en la ciudad de Querétaro, fue creada en 2012 por la diseñadora Beaumaris Eilean y se enfoca en prendas con tejidos sustentables y orgánicos, con materiales como algodón o lino reciclado y moldes cero desperdicio.

Alejandra Raw, de la diseñadora tapatía Alejandra Márquez, es un proyecto que busca el uso exclusivo de materiales nobles, casi siempre en color crudo (de ahí el nombre de la marca: Raw), para evitar el uso de tintes tóxicos. El estilo de sus prendas se caracteriza por deshilados estratégicos para cubrir o mostrar el cuerpo, y por el uso de tejidos hechos en telares manuales del estado de Oaxaca.

Ohja es otro ejemplo de sustentabilidad en los materiales. Esta marca de bolsos, creada por la venezolana —radicada en México— Dubraska Portillo, ofrece piezas que están hechas con ecopiel de poliuretano, algodón y fibras naturales y sin químicos. Además, la producción de Ohja se lleva a cabo en León, Guanajuato, ciudad peletera por excelencia, por lo que estas piezas no le piden nada a los bolsos tradicionales de piel.

Arroz con Leche, también de la empresaria Concha Orvañanos, se ha acercado desde 2002 a distintas comunidades a lo largo de la república para que sean las artesanas quienes pongan los toques finales a las prendas de los más pequeños. Después de más de una década de trabajo, estas artesanas tienen trabajo constante, han incrementado su productividad y su nivel de vida y han construido una marca que es una de las favoritas dentro del segmento de ropa infantil.

Foto: Desfile Fashion in Motion de Carla Fernández, cortesía del Victoria & Albert Museum, Londres.

Korimi, por su parte, es un proyecto de ropa y calzado infantil (y algunas prendas para las madres) creado por Annia Ezquerro y Monserrat Domínguez, con la idea de hacer piezas que comuniquen la cosmovisión ancestral de algunas comunidades, haciéndolas partícipes a través del teñido y bordado de las prendas. Korimi, que significa «arcoíris» en tarahumara, trabaja con comunidades en el Estado de México, Chiapas y Oaxaca.

Foto: Eduardo Luna, campaña de Eilean Brand, cortesía de Eilean Brand.

MIO, de la diseñadora Natalia Silva, busca prolongar la vida de las prendas, sobre todo en un sector que constantemente las deja. Así, su línea infantil está compuesta por piezas que crecen junto con los niños y se adaptan para abarcar algunas tallas más; piezas cero desperdicios, reversibles o hechas con materiales orgánicos o reciclables para extender la vida activa de cada una.

CoKo Orgánico, fundado por Sofía Maya, ha destacado por incorporar materiales de bambú, algodón y cáñamo orgánicos, en productos que son fabricados por mujeres reclusas del Centro de Rehabilitación Social de

Querétaro, lo cual ha creado un impacto positivo en muchos puntos de la cadena de producción.

Estas marcas son solo el comienzo de un movimiento que cada vez va adquiriendo más fuerza y que busca crear una manera de hacer moda más limpia con el ambiente y más ética con la fuerza de trabajo que la conforma. Aunado a esto, poco a poco el consumidor se vuelve más consciente sobre aquello que consume y, para fortuna de la industria mexicana, las marcas nacionales siempre son una buena respuesta, ya que los círculos tan cerrados y locales de producción hacen que el producto final (casi) siempre esté hecho en México, con materias primas mexicanas y por manos que, generalmente, conoce el diseñador.

Las marcas socialmente reponsables han demostrado que es posible enaltecer el trabajo de las comunidades artesanales, dando los debidos créditos y otorgando a cada quien lo justo por su labor, y que es posible utilizar la materia prima y la mano de obra local, además de crear equipos de trabajo que procuran el bienestar de todas las personas que lo conforman. Todas estas ventajas, son las mismas que carecen otros países como Francia, España o Estados Unidos, que alojan a las marcas con mayores ganancias hoy en día. Al carecer de una fuerza textil y manufacturera interna, se ven obligadas a llevar sus procesos a países en vías de desarrollo y, mientras tanto, México ya tiene todas estas herramientas para convertirse en una capital de la moda. Así que solo basta con mirar hacia adentro.

Moda en comunidad: pensamientos al aire de un editor

POR *Rodrigo de Noriega*

La relación que existe entre la indumentaria tradicional y la moda supone entender el valor cultural de ambas y del complemento que representa una para la otra: la tradición no es invariable y la moda no es pasajera.

La moda mexicana no se puede entender en su historia si no se comprende la riqueza cultural de los pueblos indígenas y el formato del «traje típico» colonial que identifica a las diferentes regiones del país. De estos símbolos de identidad visual, como flores y escudos bordados, es decir, banderas que portamos con orgullo para referirnos a nuestros lugares de origen, es de dónde se buscó en un principio innovar para llegar a «lo contemporáneo», uniendo así lo conocido con lo transgresor. Entiéndase contemporáneo como una respuesta diferente para cada generación: los vestidos «mexicanos» de Esteban Mayo, que eran túnicas retrabajadas con bordados de Tenango, en la década de 1970; los bordados de flores en vestidos de corte sirena de Armando Mafud en 1980 y desde hace 20 años; los gráficos caleidoscópicos de Pineda Covalín, que imprimen en las teles que utiliza la marca en cada colección, y que son éxitos comerciales.

Las comunidades cuyas técnicas se conservan —el tejido de cintura de los tzotziles de Chiapas, los bordados otomíes de Tenancingo, el punto de Cruz y los trabajos en chaquiras de los Coras de Nayarit— son más que riqueza visual. Son maneras de explicar su contexto, precario pero con mucha historia visual, tienen implicaciones ceremoniales —como el cambio de mayordomía en Zinacantán, Chiapas, donde todos los hombres, niños a viejos usan un chaleco bordado—, y tomarlos con banalidad es peligroso. Ahora los diseñadores que trabajan a partir de los procesos tradicionales mexicanos los conocen a fondo y son, o deberían ser, actores insertos en la comunidad. El trabajo artesanal de estos pueblos supone además de tradición, en el contexto contemporáneo, una nueva manera de generar ingresos para poblaciones relativamente carentes de oportunidades. Por eso conlleva una responsabilidad adicional.

El manifiesto de la diseñadora Carla Fernández versa: «Nuestras prendas huelen a humo, se tejen y se bordan junto al anafre. Hacemos poquito y vamos lento».[60] Esta, por ejemplo, es una declaración de cómo se trabaja en comunidad y cómo se hace moda desde las necesidades locales. No bajo los formatos de temporalidad de las capitales europeas, ni desde la comunicación neoliberal que busca generar consumo desenfrenado, sino a través de prendas longevas, bien hechas. En sistemas de trabajo justo, que ponen al artesano en el mismo plano que al diseñador, sin jerarquías.

El contacto de Laura Meléndrez con María, por ejemplo, una de las artesanas con las que realiza los bordados

Foto: Backstage de Yakampot, cortesía de Fashion Week México.

60 Fernández, C. «Manifiesto de la moda en resistencia», discurso presentado en el Palacio de Bellas Artes, México, 2018.

Foto: Campaña Colectivo Diseño Mexicano fotografiada por Jesús Soto.

En México la problemática se complejiza aún más cuando la expropiación cultural representa posibles canales de desarrollo para las comunidades que no fueron. Por ejemplo, el hecho de que estas colecciones de marcas foráneas pudieron ser fabricadas por los artesanos del país, pero ni siquiera hubo un acercamiento para invitarlos a involucrarse en el proceso.

Dentro de la responsabilidad social, también se entienden temas como el impacto ambiental que tiene la industria. Los sistemas de producción actuales suponen altos niveles de contaminación para desarrollar textiles, que producen enormes cantidades de desperdicios que alteran ecosistemas completos. Ante esta problemática, existen respuestas de los diseñadores nacionales.

Para Eilean Organics, una marca originaria de Querétaro, lo más importante es ser lo más sostenible posible. Trabajar con textiles certificados en ahorro de energía y agua y textiles rescatados que no requieren de tintes porque el nuevo tejido, al reciclar el hilo adquiere el color del textil anterior. Alejandra Raw, de Guadalajara, también modifica su modelo de producción. Crea prendas que se conciben a partir de «series» que se lanzan cada temporada, pero que se integran a un repertorio disponible permanentemente. Muchas de ellas son crudas, las piezas con color se tiñen con colorantes naturales y colaboran directamente con una

otomíes característicos en las prendas de Amor & Rosas, la marca de Laura, lo hizo en una feria artesanal y juntas han crecido. Ahora María ha generado una estructura de trabajo; la red de artesanos que trabajan para la marca comienza a madurar, empezando desde el núcleo familiar, pues la diseñadora emplea a varias generaciones. Esto, además, asegura que el conocimiento de los procesos sobreviva.

Una preocupación constante en la moda a nivel internacional es el tema de la apropiación cultural. Es decir, tomar símbolos e imágenes tradicionales de una cultura y despojarlos de su significado para presentar en un contexto vacío, sin beneficio para quienes los originan, dichos diseños.

comunidad en Oaxaca que genera los deshilados en túnicas y vestidos.

Tanto los trabajos con comunidades como la búsqueda por procesos limpios requieren de una iniciativa conjunta en la que cuestionemos nuestra injerencia dentro de estas relaciones y buscar ser lo menos nocivos posibles, ya sea que diseñemos, innovemos, comuniquemos o consumamos la labor artesanal mexicana. Esta es una invitación a consumir productos locales, a investigar su procedencia, a estar al tanto de sus procesos y de sus formas de producción, a aplaudir las buenas prácticas, pero, en especial, a ser copartícipe de nuestra industria y de las acciones positivas por el ambiente.

Rodrigo de Noriega

Editor en jefe de *Coolhuntermx*, una plataforma de promoción del diseño y las tendencias nacionales materializadas en un *site* y en una agencia de comunicaciones. Estudió Diseño Textil y Moda en CENTRO, fue redactor en *i-D México*, productor de moda en *192* y ha escrito para varios medios locales como: *Elle*, DNA y *Cream Magazine*. Es profesor en las carreras de Diseño de Moda y Publicidad y Mercadotecnia de Moda en la Universidad Jannette Klein.

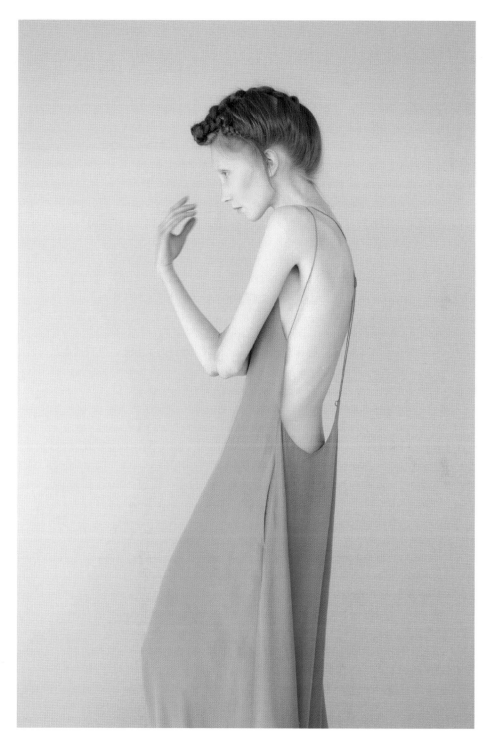

Fotos: Campaña Cynthia Buttenklepper, cortesía Cynthia Buttenklepper.

Conclusión. ¿De aquí a dónde?

Después de revisar los últimos 20 años de la moda mexicana, es imposible no especular sobre el futuro de esta industria.

En un texto del libro *Boutique. Recuento de una exposición* (2000), Ana Elena Mallet se preguntaba sobre el futuro de la moda. Su especulación apelaba a la globalización y las ventajas positivas que pudiera traer al país, como la explosión del internet y la aceleración de la información, por ejemplo.

Pero ¿por qué regresamos a la misma pregunta de hace 20 años? ¿Qué es lo que le espera a la moda mexicana en el futuro? Es cierto que ha habido un avance muy importante en estas dos décadas. La historia ya no es la misma, pues ahora se entiende lo que ocurre en el mundo de la moda, su funcionamiento en términos generales. No obstante, las especulaciones sobre lo que sigue para la moda en México persisten.

Las opiniones más fatalistas apuntan a que ha habido una falta de apoyo por parte del gobierno, así como una inexistencia de programas para impulsar la industria local. Si se mantiene esa tendencia, el crecimiento de la industria será lento, como lo ha sido hasta ahora. Sin embargo, tristemente es algo con lo que ya aprendimos a vivir. **El reto no está ahí; no está en buscar el fatalismo, sino en generar cultura de la moda en el país.** Involucrar a la gente, para así superar las carencias que hasta ahora han afectado a la industria e iniciar un nuevo ciclo. Un ciclo donde se logre comprender la moda y visualizarla como una disciplina igual de importante que el arte, la arquitectura y cualquier otra expresión artística y que, bien fortalecida, puede tener un impacto importante a nivel económico basado no solo en las ventas de los diseñadores, sino en el círculo de empleos que se generan en torno a las diversas creaciones.

Si asumimos, como ya hemos afirmado, que la moda funciona como un engranaje, el punto más bien sería que se entendiera como un todo y que, a través de sus componentes (diseñadores, estilistas, editores e, incluso, los creadores de las plataformas como Caravana o el propio Fashion Week) se creara una comunidad para, antes que nada, establecer —y entender— qué es la moda y cómo nos beneficia individual y colectivamente, idea que se refleja, justamente, como la intención principal de este libro.

Foto: Izack Morales para *Elle México*, cortesía del fotógrafo.

Dos décadas han servido para establecer la visión global de un nicho que se percibía muy local. Se superaron cuestionamientos irrisorios como: ¿la moda mexicana es aquella que se hace en México o la que hacen los mexicanos? o ¿la artesanía es moda?, preguntas de antaño que no ofrecían un crecimiento para la industria y, por lo tanto, perdieron relevancia. Dejar esto atrás permitió a toda una generación proponer nuevas soluciones, vislumbrar nuevos horizontes para la disciplina, desde su constante mezcolanza con las tradiciones hasta la experimentación con materiales que ya forman parte de un discurso creativo recurrente.

Moda, actualmente, tiene que ver con un sentimiento de pertenencia. Es un punto de interés social que, aunque provenientes de diferentes realidades, convoca a un público ávido de ver y conocer los procesos de conceptualización y creación que la rodean. Forma parte del discurso social, de la representación cultural de las épocas, de un mensaje personal. Sin embargo, en nuestro país, todavía se encuentra muy estigmatizada. Una prenda no entra en la agenda de cultura si no tiene una relación directa con la artesanía; entonces ¿eso dónde deja a los nuevos creadores? ¿Cuándo entenderá el gobierno que la moda contemporánea también es cultura?

Este cuestionamiento ha formado parte del ejercicio de curadores y promotores que, a través de diversas exhibiciones, han conseguido insertar a la moda en un contexto cultural reconocido por todo público.

En mayo de 2016, el Palacio de Iturbide presentó «El arte de la indumentaria y la moda en México, 1940-2015». Se trataba de una exposición curada por Ana Elena Mallet y Juan Rafael Coronel que hacía un análisis sobre la transición de la indumentaria (que tiene que ver más con los trajes típicos y la artesanía) a un sistema de moda. Con más de 400 piezas, esta muestra triplicó las visitas al museo mientras estuvo abierta al público, según declaraciones de su curadora.

Foto: Karla Lisker para *Elle México*, cortesía de la fotógrafa.

A la par, otras dos muestras se encontraban abiertas. Por su parte, el Museo Jumex presentó «La diseñadora descalza: un taller para desaprender», la abstracción de una exposición presentada en el Isabella Stewart Gardner Museum que diseminó la filosofía de la diseñadora Carla Fernández a partir de las tradiciones y técnicas de las culturas de México. A su vez, «Cristóbal Balenciaga: el discreto esplendor de la Alta Costura» era una retrospectiva al trabajo del diseñador español en el Museo de Arte Moderno de la Ciudad de México.

La apertura simultánea de estas exposiciones no era una coincidencia. Para la comunidad creativa representó la aceptación de la moda, una disciplina que entraba al museo, un recinto cultural —y burocrático— que hasta entonces no entendía la relevancia de presentar ese tipo de exhibiciones al público general. Para el espectador fue una oportunidad de revisar y ver, por primera vez, qué pasa en la moda mexicana con puertas abiertas.

Quizás es un fenómeno que, aunque tarde en repetirse, trae a colación la red de personas dispuestas a apoyar y solventar estos proyectos. La moda está creciendo gracias al trabajo de los emprendedores creativos, como Johann Mergenthaler (creador de DM32), Monse Castera y Mariana Guell (fundadoras de Momoroom) y sus antecesores, como los de Emmanuele M.M. de Roman (fundadora y directora de IES Moda) y Cory Crespo (fundador y presidente de Mercedes-Benz Fashion Week Mexico City). **Aunque parecen esfuerzos aislados, en realidad cada uno de estos proyectos, entre muchos otros, han sido conectores que, durante 20 años, han impactado en las formas en las que se consume la moda, desde la creación y adquisición de piezas, la visualización en exhibiciones, hasta el consumo digital.**

Las redes que han tejido los emprendedores de la moda son un catalizador valioso, sus resultados han escalado y son tangibles. Ahora, la interrogante tiene que ver con quién está del otro lado. ¿Quiénes son los receptores del mensaje creativo en México?

Hablar de los emprendedores es hablar también de la centralización, que ha arrojado un esquema positivo y negativo. Claro que la Ciudad de México se ha erigido como la capital nacional del diseño, pues es donde se concentran la mayoría de los esfuerzos. Sin embargo, esto también ha representado una sobrepoblación de proyectos que crean una gran oferta para la poca demanda de un espacio geográfico limitado.

En una entrevista, Cecilia Palacios, fundadora de *Coolhunter*, hablaba de los límites que surgen de este fenómeno. En su declaratoria, ella lanza una interesante reflexión: «Como actores activos, sabemos y conocemos a los diseñadores, sus marcas, sus procesos y sus puntos de venta. Pero cuando sales de aquí, nadie conoce el diseño mexicano. En Puebla, por ejemplo, no ubico un lugar donde vendan diseño mexicano…».[61] El otro lado de la moneda es que, aunque ciudades como Monterrey, San Miguel de Allende, Guadalajara e incluso Tulum han abierto los ojos a este panorama y tienen una vasta oferta de diseño mexicano, los compradores son por lo general extranjeros, quienes realmente son, para algunas marcas, los principales consumidores de la moda nacional.

Bajo esa premisa, habría que preguntarnos: ¿cómo consumen la moda nacional los mexicanos? ¿Realmente queremos usarla o solamente apreciarla? La moda *mexa* ya no es un mito, ahora es una realidad tangible a la que la mayoría no le está apostando. En ese sentido, el panorama no ha cambiado. El factor económico es la constante: las prendas son caras para el poder adquisitivo que un país como México posee.

Frente a estas preguntas que parecen no tener fin, es común llegar a la conclusión de una crisis en la moda mexicana. No es así. Han pasado 20 años desde 1999 y hemos llegado a un punto relativamente estable: aparecen nuevos diseñadores, más modelos son descubiertas, surgen nuevos proyectos de promoción de manera constante. Esa es la idea: continuar con el desarrollo de nuevas propuestas que oxigenen y transformen el panorama actual, que ayuden a incentivar la economía de la moda y, de esta forma, lograr un impacto social importante.

En este punto, la respuesta a qué es lo que sigue es, simplemente, proponer espacios de reflexión, espacios de exposición y, ciertamente, ejercer y regularizar el consumo de la moda mexicana. **Construir la cultura de la moda, esa es la meta.**

---

61 Entrevista con Cecilia Palacios en el *podcast Conversaciones de Diseño*, conducido por Ana Elena Mallet.

El inicio, no cabe duda, está en la colaboración. No competir entre nosotros, sino crear esfuerzos en conjunto. Traer a colación proyectos innovadores, que ayuden a crear una membrana sólida; que todas las aristas caminen a la misma velocidad y para la misma dirección.

Hoy de lo que se trata es de hacer comunidad, de ser colectivo.

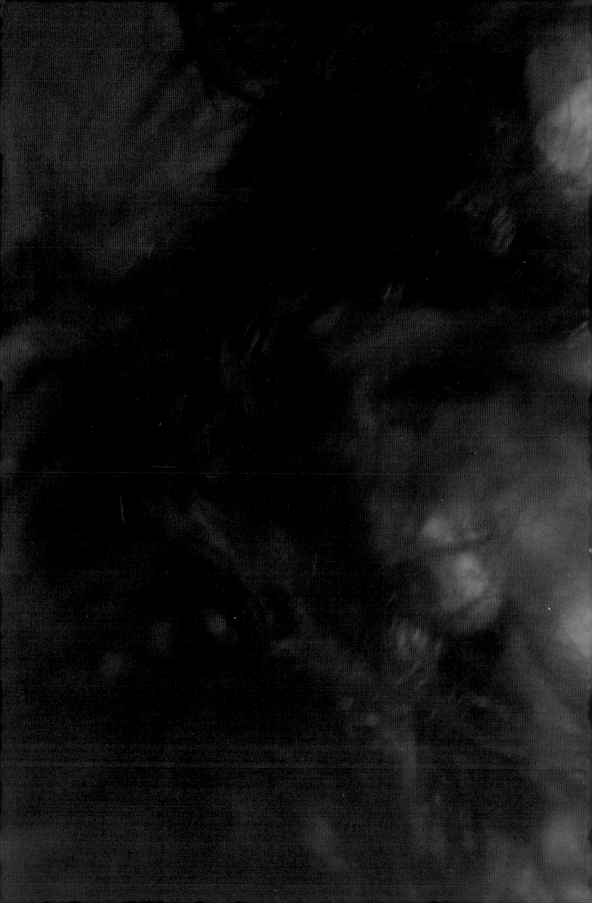

Diez cosas que seguro no sabías sobre la moda mexicana

1 Dos centros de estudios mexicanos están en el *Best Fashion School in The World for 2019*, el *ranking* anual que publica *CEOWORLD Magazine*. De 109 posiciones que tiene la lista, la Universidad Jannette Klein ocupa el lugar 84 y la Universidad Iberoamericana se encuentra en el lugar 95.[62]

2 En 2016, luego de convertirse en un hito y un símbolo de la disrupción en la moda mexicana, Andrés Jiménez, creador de Mancandy, se vuelve el único diseñador mexicano (hasta la fecha) en dar el salto al mundo del espectáculo al estrenarse como cantante con «Dispuesto a ti», e incursionar en el mundo de la música bajo el género que él mismo ha bautizado como *reGAYton*. ¿No lo has escuchado? Corre a Spotify.

3 Para 2017, la Cámara Nacional de la Industria del Vestido (CANAIVE) reportó a México como el séptimo productor de mezclilla del mundo, con una confección de más de tres millones de prendas hechas con *denim* a la semana.[63] El mejor *tip* para conservar este material, sin contaminar el agua,[64] es congelarlo, no lavarlo.

---

62 Fuente: *CEOWORLD Magazine*.

63 Fuente: *Fashion Network*

64 El proceso de la mezclilla es uno de los más contaminantes, ya que para su teñido utiliza químicos como cloro o permanganato de potasio (para lograr el efecto de deslavado) que contaminan el agua. Además, para lograr enjuagar tanto el colorante índigo como estos agentes se desperdician muchos litros de agua en el proceso.

4 En 2016, una chamarra unificó al país: *Mexico is the Shit*. Creada por Anaur Layon y Ahmed Bautista, desde su aparición en una foto donde aparece frente la torre Trump de Nueva York, se convirtió en el estandarte con el que México abrazó las elecciones presidenciales de Estados Unidos de ese año. Esta ha sido la pieza más comercializada de la moda mexicana. Su producción se duplicó mes con mes desde su lanzamiento hasta septiembre de 2018.

5 Las exhibiciones de moda contemporánea en México han sido una parte fundamental para la difusión del trabajo. En los últimos veinte años, Ana Elena Mallet ha sido la encargada de curar la mayoría, que abarcan desde «Boutique» en 2000 (Museo de Arte Carrillo Gil, CDMX), «El arte de la indumentaria y la moda en México», 1940-2015 en 2016 (Palacio de Iturbide, CDMX), y «Kimonos y diseños de Minoru Kobayashi, huellas de Japón en la moda mexicana» en 2019 (Fábrica de San Pedro, Uruapan, Michoacán).

6 Aunque Elsa Benítez y Liliana Domínguez fueron dos de las modelos con mayor proyección internacional, no fue hasta que Issa Lish debutó en desfiles y campañas internacionales en 2013 que las modelos mexicanas lograron tener mayor relevancia en la industria global. De ahí siguieron Mariana Zaragoza, Cristina Piconne y Karime Bribiesca, respectivamente, aunque Issa es la única mexicana ranqueada en el top 50 de Models.com.

7 A pesar de que es una disciplina con cierto auge e interés, la moda en México no ha sido documentada. Antes de esta publicación, solo existían tres autores de libros que hablan enteramente de la moda en México: *3000 años de moda mexicana*, de Ramón Valdiosera, *El libro de la moda mexicana*, de Desirée Navarro y *Mextilo, memoria de la moda mexicana*, de Gustavo Prado.

8 Aunque en la década de 1980 ya existía *Vogue* en México, no fue hasta 1999 que Condé Nast lanza la revista como *Vogue en Español*. En 2004 el título cambia su nombre a *Vogue México y Latinoamérica*, como es conocido hasta hoy. En 2019 la «biblia de la moda» celebra oficialmente 20 años de historia, el mismo periodo que abarca este libro.[65]

9 En junio de 2019, el diseñador Maurizio Galante presentó Resplandor, su última colección, en la semana de Alta Costura de París. Galante desarrollo el 60% de la colección en colaboración con 14 alumnos del Instituto de Estudio Superiores de Moda, Casa de Francia. El concepto, inspirado en México, permitió que varias de las materias primas se obtuvieron de diferentes regiones del país.

10 Tras una conversación con algunos diseñadores, como Ocelote y Alejandra de Coss, comentan que el 70% de su mercado está en el extranjero. ¿Esto quiere decir los consumidores de moda nacional no son mexicanos? ¿Tú qué tienes puesto hoy?

---

65 Fuente: Condé Nast México y Latinoamérica.

Agradecimientos

Agradecemos enormemente al equipo Colectivo Diseño Mexicano, porque este libro obviamente es fruto de un trabajo en conjunto.

Principalmente, queremos reconocer el esfuerzo y la dedicación de Natalia Silva. Sin ti, Nat, este libro no hubiere sido posible. Gracias, Mattza Tobón y Karla Guerrero, por el apoyo.

Gracias infinitas a Heriberto Guerrero, el creador de toda la imagen de Colectivo Diseño Mexicano, quien a lo largo de tres años nos ha aguantado, nos ha pelado cuando crea cosas que creemos muy avanzadas para nuestros tiempos. Gracias por embarcarte con nosotros en esta aventura y plasmar la esencia de CDM en el diseño de este libro.

Queremos agradecer a nuestra editora Tamara Gutverg por la paciencia, el empuje, los consejos y porque el libro que tenemos en las manos es mucho mejor gracias a ti. Gracias a Karina Macías, gerente de No ficción en Planeta, por confiar en nosotros y darnos la oportunidad de asumir uno de los retos más cansados, pero más lindos, que hemos tenido en la vida.

Gracias a Cynthia Gómez, quien desde el primer instante en que la contactamos sin conocernos nos abrió las puertas y nos brindó su ayuda de la manera más hermosa.

Finalmente, gracias a todos los que forman parte de esta historia —diseñadores, fotógrafos, estilistas, maquillistas, periodistas de moda— por inspirarnos cada día con su labor y porque gracias a ustedes existe este proyecto.

Agradecimientos
de Paola Palazón Seguel

A Teo por inspirarme a hacer todo lo que nunca imaginé que podía hacer. Este libro y todas las cosas que hace «la mamma» son por y para ti.

A Madar por ser el mejor cómplice que pueda tener, mi apoyo, mi impulso y mi estímulo constante para llegar a terminar este proyecto.

A mis papás y mis hermanos por hacerme quien soy.

A Abu, Titi y Ama, mi red, quienes han sido mi soporte y aliadas en el rol más lindo que he tenido, que es criar a Teo. No imagino haber podido hacer este libro sin ellas.

Agradecimientos
de Daniel Herranz

A Emiliano y Gloria, porque ya fueron capaces de hacer todo por mí. Llegar a este punto tiene todo que ver con ustedes y lo que me aconsejaron todos estos años.

Apéndices*

Glosario

Bomber jacket: chamarra de inspiración militar con elástico en el cuello, los puños y la cintura. Esta prenda era utilizada, sobre todo, por los aviadores bombarderos (por ello el nombre) de la Segunda Guerra Mundial por su efectividad para guardar el calor.

Concept stores: son formatos de tiendas que, por lo general, venden productos de diseño, moda y/o arte, en espacios donde hay un cuidado arquitectónico y de interiorismo, y cuya promesa básica suele ser la delicada y especial curaduría y selección de los productos que están a la venta, así como la poca disponibilidad de los mismos en otros puntos de venta.

Couture: el *haute-couture* o *alta costura* se encuentra en el pico de la segmentación de marcas de moda por ofrecer piezas únicas de lujo. Solo marcas autorizadas o invitadas por la Cámara Sindical de la Alta Costura en Francia pueden crear piezas de este tipo y unirse al calendario de desfiles de alta costura, que se presentan dos veces al año en enero y en julio. Las reglas para ser una casa de moda autorizada para crear alta costura son varias, entre ellas están: tener un taller establecido en París con al menos quince costureras de tiempo completo, presentar colecciones de al menos 50 *looks*, tanto para día como para noche, y no hacer más de cinco réplicas del mismo modelo para cuidar la exclusividad de las piezas. Marcas que no cumplen con algunos de estos requisitos pueden presentar colecciones como invitados especiales.

Deshilado: técnica artesanal adoptada por las mujeres indígenas de diferentes regiones de México. Esta labor se realiza en una tela sacando los hilos y haciendo calados con los que quedan algunos espacios descubiertos.

DIY (Do It Yourself): traducción de «hágalo usted mismo», que se refiere a un movimiento que nació con la explicación de los blogs y las redes sociales.

Editorial de moda: es una historia contada fotográficamente. Una serie de fotos relacionadas entre sí que expresan un concepto, una idea o una tendencia que se quiera transmitir. No pretende vender las prendas, a diferencia de una campaña de moda, solo es una forma de expresión que muchas veces se usa de inspiración o como referencia de una época particular.

Hair stylist: referencia en inglés para los estilistas de pelo que forman parte del equipo de producción de una pasarela, una sesión de fotos, un evento, etc.

Joggers: tipo de pantalón deportivo de tiro bajo y ajustado al tobillo. El nombre hace referencia a la comodidad de la prenda para hacer *jogging*, o trotar, en español.

Look: apariencia. En moda suele utilizarse para referirse al conjunto de prendas, e incluso maquillaje y peinado, que porta una persona.

Lookbook: es una compilación de fotografías, impresa o digital. Puede mostrar la colección de una marca con fin de ventas o incluso el trabajo de un diseñador, fotógrafo o modelo como promoción.

Makers: es un movimiento contemporáneo que, basados en la tecnología, representa la cultura *DIY* (*Do It Yourself*), en español: «Hágalo usted mismo».

Make up artists: se refiere a las personas que aplican el maquillaje, regularmente a modelos, para un *show* o un editorial de moda.

Maquila: es un sistema de producción unitario en talleres industriales de costura. En este caso nos referiremos siempre a ropa.

Maquila justa: es un sistema de producción donde la remuneración del trabajo es congruente con el tiempo, el esfuerzo y la calidad del trabajo de los colaboradores.

Marcas medias: en la segmentación de la moda, las marcas medias ofrecen productos de fabricación en masa, en precios asequibles.

Menswear: se refiere a las colecciones masculinas y responden al segmento *ready-to-wear*, es decir también son prendas de producción media en distintas tallas. Estos desfiles suelen presentarse en Nueva York, Londres, Milán y París en enero y junio.

Patronista: profesional encargado de hacer los moldes o patrones para la confección de la ropa.

Plus-size: segmento de tallas que salen del rango promedio del consumidor; por eso suelen llamarse tallas extras.

Pre-fall: colecciones que se presentan entre las temporadas de primavera-verano y otoño-invierno. Creativamente suelen ser propuestas que no se apegan estrictamente a temporadas frías o calurosas. En cuanto a ventas, estas colecciones ayudan a cubrir la demanda de producto cuando ya se ha terminado una colección y aún no llega la siguiente. La temporada *pre-fall* por lo regular se presenta en noviembre o diciembre a través de un *lookbook*.

Ready-to-wear: este segmento sería el segundo lugar en la pirámide de segmentación de marcas de ropa y se desprendió de la alta costura por ser piezas que, como su nombre lo indica, están listas para usarse, pues se producen en volumen mediano, en una variedad de tallas. Estas colecciones se presentan en un calendario distinto, dependiendo la ciudad. Los gigantes Nueva York, Londres, Milán y París normalmente las presentan en ese orden en febrero y agosto. En México estas colecciones se presentan en abril y octubre.

Retail: conocido también como distribución minorista, detallista o en menudeo, es un canal de venta que va directamente al consumidor en cantidades chicas.

Resort: este tipo de colecciones se presentan entre las temporadas *ready-to-wear* otoño-invierno y primavera/verano, y ayudan a cubrir la demanda del cliente en lo que llega la siguiente colección. Estas colecciones suelen presentarse a través de un *lookbook* en lugar de un desfile. Por lo tanto, las fechas son indistintas. Las colecciones resort creativamente suelen responder a la necesidad de prendas para utilizar en un destino vacacional.

Saldos: suelen ser prendas que se ofrecen a precios muchos más bajos de los que normalmente salen a la venta o bien porque llevan mucho tiempo en estanterías o en bodegas y no han logrado venderse. Con la reducción del costo se busca justamente incentivar la venta y «salir» de dichas piezas.

Sartorial: relativo al sastre y a sus actividades.

See now, buy now: se refiere a la posibilidad de comprar cualquier prenda a través de internet, en el momento exacto en el que la ves desfilar, contrario al modelo tradicional en el que la pasarela es un vistazo de lo que estará a la venta seis meses después.

Showroom: espacio donde una marca exhibe su colección uno a uno con clientes potenciales o con prensa.

Stock: conjunto de mercancías o productos que se tienen almacenados en espera de su venta o comercialización.

Street style: traducido como «el estilo de la calle», se refiere a la manera cotidiana de vestir, de cualquier persona. También puede referirse al tipo de fotografía de este fenómeno social.

Stylist: profesional encargado de la dirección creativa de campañas o editoriales de moda. Decisiones estéticas como la selección de modelos, vestuario, maquillaje, peinado y locación, son tomadas por el estilista para crear un mensaje a través de una fotografía.

Tejido de punto: es una técnica de elaboración de un tejido en la que los hilos forman cadenas de manera horizontal o vertical. Esta estructura le da la flexibilidad física al tejido y esto lo hace ideal sobre todo en prendas deportivas o suéteres.

Top model: se refiere a un modelo, masculino o femenino, cuyo trabajo ha sido prominente y la repetición de su imagen en campañas, revistas o desfiles, han consolidado su trabajo. Por lo tanto, al gozar de un poco de fama, tanto su imagen como su nombre, le dan validación a los proyectos en los que se involucra.

Total look: se refiere a un atuendo en el que todas las piezas son de la misma marca o diseñador, desde la ropa y accesorios, hasta zapatos o bolsos.

Trunk show: a diferencia de los desfiles es un formato más privado donde diseñadores y/o marcas presentan, de manera más personalizada y cercana, las nuevas colecciones a sus clientes más fieles y futuros compradores. Representa una experiencia mucho más íntima y una oportunidad de interactuar más directamente con el consumidor final.

Waif: un término que en inglés se usa casi de manera despectiva para referirse a los niños con desnutrición. En moda, el estilo *waif* se refiere a las modelos se complexión muy delgada y alargada, la cual se popularizó después de años en los que se favorecieron los cuerpos curvilíneos.

Wearable technology: este término engloba innovaciones tecnológicas que pueden aplicarse a prendas de vestir o accesorios que van anexos al cuerpo. Ejemplos de esto son los relojes o lentes inteligentes, textiles con aplicaciones tecnológicas, localizadores GPS portátiles, entre otros.

Directorio de moda

#IndustriaColectiva

Anna Wintour[66] inicia *The September Issue*[67] con una interesante reflexión: «Hay algo que hace que la gente le tema a la moda. Algo no entienden de este mundo que los hace sentirse, de cierta forma, excluidos [...] Hay algo en la moda que hace que la gente se sienta realmente nerviosa».

El planteamiento introducía al espectador al universo de *Vogue*, tema central del documental; sin embargo, la declaración es en realidad una indagatoria sobre la postura que se tiene con respecto a la moda: nuestra cercanía e interrelación con ella. La pregunta pertinente para continuar con la reflexión sería: ¿cómo construir entonces una cultura de la moda que la acerque a la gente? Ciertamente —y sin afán de contestar una interrogante tan grande— tiene que ver con conocer la industria de primera mano, saber qué es lo que la mueve y cuáles son las directrices que sigue.

Hablar de moda hecha en México no solo tiene que ver con los diseñadores, sino con todo el ecosistema que los rodea y, a partir de ahí, entenderla para poder consumirla. Por eso, en estas páginas hablamos de la posibilidad de construir una sinergia con las mentes creativas que todos los días respiran moda.

Cada una de las personas y/o proyectos que aparecen en este directorio imprimen en su trabajo su propia cosmovisión, siendo, además, los responsables de generar el discurso e identidad de la moda nacional. Cuando interactúas con ellos/as, bien sea usando una prenda, posando, dejándote dirigir o dirigiendo tú, ese discurso cobra otro sentido y se enriquece, porque ahora también lleva tu propio mensaje.

¿Listo para descubrir a los actores del mundo de la moda en México?

---

66 Anna Wintour es una periodista y escritora británica. Desde 1988 es editora de *Vogue Estados Unidos* y una de las personas más influyentes del mundo de la moda.

67 El documental estrenado en 2009 donde Anna Wintour y su equipo muestran cómo se hace la edición más importante de la revista *Vogue*, el número del mes de septiembre.

Tiendas / showrooms

Ciudad de México

⅛ Takamura
Córdoba 67, Int.7,
Roma Norte.
www.1-8takamura.com
FB: /unoctavotakamura
IG: @1.8takamura

180° Shop
Colima 180, Roma Norte.
www.180grados.mx
FB: /shop180grados
TW: @180gradosmx
IG: @180gradosmx

Alejandra de Coss
San Luis Potosí 45-2, Roma.
www.alejandradecoss.com
FB: /decossalejandra
IG: @alejandradecoss

Alexia Ulibarri
Gobernador Gregorio V.
Gelati 84ª, San Miguel
Chapultepec.
www.alexiaulibarri.com
FB: /AlexiaUlibarri
TW: @AlexiaULIBARRI
IG: @alexiaulibarridesign

Anuar Layon
Sonora 195-A, Roma.
www.anuarlayon.com
TW: @AnuarLayon
IG: @anuarlayon

Arkatha
Coyoacán 1120, Int. 12,
Del Valle.
www.arkatha.com
FB: /arkathamx
TW: @Arkatha
IG: @arkatha

Camino
Valladolid 55-B, Roma Norte.
www.camino.mx
FB: /caminostore
IG: @camino__

Cañamiel
Javier Barros Sierra 540,
Santa Fe.
www.canamielmx.com
FB: /canamielCL
TW: @Canamiel
IG: @canamielCL

Carla Fernández
Marsella 72, Juárez.
www.carlafernandez.com
FB: /carlafernandezMX
TW: @carlafdesign
IG: @carlafernandezmx

Casa Caballería
Havre 64, Juárez.
www.casacaballeria.com
FB: /casacaballeria
TW: @Caballeria_mx
IG: @casacaballeria

Cibeles 72
Valladolid 72, Roma Norte.
www.cibeles72.com
FB: /Cibeles72
IG: @cibeles72

Cihuah
Artículo 123 116, Int. 207,
Centro.
www.cihuah.com
TW: @Cihuah
IG: @cihuah

Cynthia Buttenklepper
Tlacotalpan 108, Roma.
www.cynthiabuttenklepper.
com
TW: @cbuttenklepper
IG: @cynthiabuttenklepper

Daniela Villa
Horacio 227, Int. 4, Polanco.
www.danielavilla.com
FB: /DanielaVillaDesigner
TW: @DanielaVDesign
IG: @danielavillacollection

El Palacio de los Palacios
Moliere 222, Polanco.
www.elpalaciodehierro.com
TW: @palaciohierro
IG: @elpalaciodehierro

Filia
Berlín 35, Juárez.
IG: @filiamx

Happening Store
Tabasco 210, Roma Norte.
Madero 10-C. San Ángel.
FB: /HappeningConceptStore
IG: @happeningstore

Hi-BYE
Frontera 105, Roma Norte.
www.hibye.world
IG: @hibye.world

IKAL Store
Presidente Masaryk 340,
Polanco.
www.ikalstore.com
FB: /ikalstoremx
IG: @ikalstore

Lago DF
Presidente Masaryk 310,
Polanco.
www.lagodf.com
FB: /lagodf
IG: @lago_df

Lorena Saravia
Presidente Masaryk s/n,
entre Tennyson y Eugenio Sue,
Polanco.
www.lorenasaravia.com
FB: /SaraviaLorena
TW: @lorena_saravia
IG: @lorenasaravia

Lydia Lavín
Guanajuato 5, Roma.
www.lydialavin.com
FB: /LydiaLavin
TW: @lydialavin
IG: @lydialavin

Maison Manila
Laredo 11, Condesa.
www.maisonmanila.com
IG: @maison_manila

Marika Vera
Julio Verne 96, Polanco.
www.marikavera.mx
FB: /marikaverabrand
IG: @marikavera

MUAC
Insurgentes Sur 3000,
Ciudad Universitaria.
www.muac.unam.mx/tien-
da-libreria
FB: /MUAC.UNAM
IG: @muac_unam

Naked Boutique
Córdoba 25, Cuauhtémoc.
www.nakedboutique.com
FB: /nakedboutique
IG: @nakedboutique_com
TW: @boutiqueNAKED

Pay's
Abraham González 116,
Juárez.
www.ppaayyss.com
FB: /ppaayyss
TW: @PPAAYYSS
IG: @ppaayyss

Ocelote
Medellín 67, Roma.
www.ocelote.net
FB: /ocelote.net
IG: @ocelotenet

Raquel Orozco
Emilio Castelar 227, Polanco.
Centro Comercial Santa
Teresa, Periférico 4020,
Jardines del Pedregal.
www.raquelorozco.com
FB: /raquelorozcog
IG: @raquelorozcog
TW: @raquelorozcog

Sandra Weil
Emilio Castelar 185, Polanco.
www.sandraweil.com
FB: /sandraweilstudio
IG: @sandraweilstudio
TW: @sandraweil

Serendipia Concept Store
Doctor Mora 9, Centro.
FB: /SerendipiaStoreMx
IG: @serendipiastoremx

Shinae Park
Lago Nyassa 9, Granada.
www.shinaepark.com.mx
FB: /shinaeparkofficial
IG: @shinaeparkofficial

Stendhal Store
Presidente Masaryk 360,
Polanco.
www.stendhalstore.com
FB: /StendhalStore
TW: @StendhalStore
IG: @stendhalstore

Taxonomía
Río Amazonas 73,

Cuauhtémoc.
www.taxonomia.mx
FB: /taxonomiamx
TW: @taxonomiamx
IG: @taxonomia

TFA Store
Monte Líbano 8,
Lomas de Chapultepec.
FB: /thefancyarchive
TW: @TheFancyArchive
IG: @thefancyarchive

The Feathered
Emilio Castelar 22, Polanco.
www.thefeathered.com
TW: @The_Feathered
IG: @the_feathered

The Indian Pipe Society
(Audette, Dulce Armenta
y Avocet)
Chihuahua 56, Roma.
FB: /TheIndianPipeSociety
IG: @indianpipesociety

The Shops at Downtown
Isabel la Católica 30, Centro.
www.theshops.mx
FB: /TheShopsDT
TW: @TheShopsDT
IG: @theshopsdt

Tienda Tamayo
Paseo de la Reforma 51,
Bosques de Chapultepec.
www.museotamayo.org/
tienda-tamayo
IG: @tiendatamayo

Saks Fifth Avenue
Prolongación Vasco de
Quiroga 3800, Santa Fe.
Plaza Carso, Lago Zurich 245,
Ampliación Granada.
www.saksfifthavenue.mx
FB: /saksmexico
TW: @saksmexico
IG: @saksmexico

Guadalajara

Alfredo Martínez
La Paz 1740, Americana.
www.alfredomartinez.net
TW: @alfredomartinz
IG: @alfredomartinez_brand

Anthiope
Francisco Javier Gamboa 171,
Americana.
www.anthiope.com
FB: /Anthiope
IG: @anthiopestore

Benito Santos
Griegos 120, Altamira,
Zapopan.
www.benitosantos.com.mx
TW: @BSantosOficial
IG: @benitosantosoficial

Cirila
Terranova 44647,
Providencia, 4° sección.
FB: /CirilaBoutiqueGDL
TW: @cirilaboutique
IG: @cirilaclothing

Defactori
México 3053, Vallarta Norte.
FB: /defactoristore
IG: @defactori

Empathy Store
Montevideo 3181,
Lomas de Providencia.
FB: /empathystore
TW: @empathy_store
IG: @empathystore

Julia y Renata
De la Paz 2219, Americana.
FB: /juliayrenatafrancomx
IG: @juliayrenatafranco

Nimia
Miguel Lerdo de Tejada 2172,
Americana.
www.nimia.mx
FB: /nimiamexico
IG: @nimiamexico

Olmos y Flores
www.olmosyflores.com
FB: /olmosyflores
IG: @olmosyflores

Oxen Concept Store
Pedro Moreno 1720,
Lafayette.
www.oxenconcept.com
FB: /oxenconcept
IG: @oxenconcept

Sal Concept Store
José Guadalupe Montenegro

2120, Americana.
www.salstore.mx
FB: /salstoremx
IG: @salstore.mx

UGGA
Montevideo 2803,
Providencia.
www.ugga.com.mx
FB: /UGGAOficial
TW: @UggaOficial
IG: @uggaoficial

Tulum-
Playa del Carmen

Hoki Poki Kana
Carretera Tulum
Boca Paila-La Placita, Tulum.
FB: /hokipokikana
IG: @hokipokikana

KM33
Calle KM 8, Diagonal Tulum.
www.km33official.com
IG: @km33offical

Biuriful
Quinta Avenida entre calle
30 y 32, Centro.
Playa del Carmen.
www.biuriful.mx
FB: /Biuriful.mx
IG: @biuriful_

Caravana Tulum
Boca Paila km 7.5, Tulum.
www.caravana.land
IG: @caravanaland

La Troupe
Carretera Tulum Boca
Paila km 7.5.
www.latroupe.com.mx
FB: /latroupetulum
IG: @latroupehome

Nayarit

En Plural Sayulita
José Mariscal 45, Sayulita.
Bahía de Banderas
FB: /EnPluralSayulita
IG: @en_plural_diseno_sayulita

KM33
De las Redes 113, Punta Mita.
Bahía de Banderas
www.km33official.com
IG: @km33offical

Yucatán

Casa T'ho
Paseo de Montejo 498, Centro.
www.casatho.com
FB: /CASATHO
IG: @casatho.concepthouse

Hacienda Montaecristo
Calzada de los Frailes 226,
Sisal.
www.haciendamontaecristo.
com
IG: @haciendamontaecristo

IMOX Curated Boutique
Calle 56 426, Centro.
www.imoxboutique.mx
FB: /imoxboutique
IG: @imox_boutique

Vero Díaz
Calle 21 135ª, Buenavista.
www.verodiaz.mx
FB: /verodiazoficial
TW: @VERODIAZmx
IG: @verodiazmx

San Miguel de Allende

KM33
Del Doctor Ignacio
Hernández Macías 52, Centro.
www.km33official.com
IG: @km33offical

Recreo San Miguel
Recreo 26, Centro.
www.recreosanmiguel.com
FB: /recreosanmiguel
IG: @recreosanmiguel
TW: @recreosanmiguel

Tijuana

Miles & Louie
Paseo de los Héroes 9415, Zona

Urbana Río Tijuana.
www.milesandlouie.com
FB: /milesandlouie
IG: @milesandlouie

Monterrey

Novelty Apparel
Bosques del Valle 111,
Bosques del Valle.
www.noveltyapparel.com
FB: /noveltyapparel.mx
IG: @noveltyaparel

Sin H
Río Colorado Oriente 206,
Del Valle.
www.sinhstreetwear.com
FB: /sinhstreetwear
IG: @sinhstreetwear

Querétaro

Caralarga
Hércules Puente 1, Hércules.
www.caralarga.mx
FB: /caralargamx
IG: @caralarga_mx

Eilean
Fray Junipero Serra 39,
Cimatario.
www.eileanbrand.com
FB: /EILEANBRAND
IG: @eilean.brand

Fotógrafos/as

Abel Anaya
Desarrolla proyectos para
marcas como Converse, Nike,
Microsoft, Elle, Toloache
y Vice.
abelanayaphoto@gmail.com
www.abelanayaphoto.com
IG: @abelanayaa
TW: @AbelAnaya
Ciudad de México

Abraham Magos
Toma fotografías para The
Guest Magazine, Victor Maga-

zine *Men, Client* y
Virtuo Genix.
IG: @abrahamagos
Tampico / Ciudad de México

Alan Narváez Navarrete
En sus inicios mostraba la
parte caótica del *runway,*
ahora sus tomas editoriales se
publican en *TFS Magazine*
y De última (*El Universal*).
photobyalann@gmail.com
IG: @photobyalann
Ciudad de México

Alberto Newton
GQ México, Vogue México
y Palacio de Hierro son algunos
de los espacios en los que
este artista ha demostrado su
manera de ver la moda.
contact@albertonewtonphoto-
graphy.com
www.albertonewtonphotogra-
phy.com
IG: @albertonewton
Ciudad de México

Alberto Rebelo
Editor de la revista *192* y
colaborador de proyectos como
Manov, Vans y *Vanity Teen.*
IG: @albertorebelo
Ciudad de México

Alejandro de María
*DOUX Magazine, The Artist
Community, Shine baby, Shine*
y *Bad Hombre* son algunas de
las revistas que alojan
su trabajo.
alejandrodemaria9@gmail.com
IG: @heisalejandro
Ciudad de México

Alexis Rayas
Ha trabajado al lado de los
fotógrafos Terry Richardson,
Camila Akrans y Santiago y
Mauricio. Sumado a esto, su
trabajo ha sido visto en *Elle*
y *Harper's Bazaar.*
lechixrayas@gmail.com
IG: @lechix
Ciudad de México

Ana Hop
Fundadora de *Marco
Magazine.* Ha colaborado con
National Geographic Traveler,

*Gatopardo, Freunde von
Freunde,* y *She's Mercedes.*
anahop.photo@gmail.com
www.anahop.com
IG: @anahop
TW: @anahop
Ciudad de México

Anairam
Mariana Castillo, residenciada
en NY, es una de las principales
fotógrafas mexicanas
contemporáneas enfocada
cien por ciento en la moda.
anairamphoto@gmail.com
www.anairam.com
IG: @anairam10
Nueva York / París

Antonio y Daniel
Un dúo de fotógrafos que
resalta en editorial, *beauty* y
portrait. Su trabajo se publica
en *Glamour, Huf, The Artist
Community* y *Cosmopolitan.*
www.ayd.photography
FB: /antonioydanielphoto
IG: @antonioydanielphoto
TW: @antonioydaniel
Ciudad de México

Carlos Ruiz
Sus primeros pasos fueron
en el mundo del arte, hasta
que se adentró en la industria
de la moda fotografiando a
personalidades, como Coco
Rocha, y desarrollando
editoriales y portadas
para títulos nacionales e
internacionales.
carlos_ruizc@icloud.com
www.carlosruizc.com
IG: @carlos_ruizc
Ciudad de México / Los Ángeles

Carolina de Luna Franco
Ha capturado momentos en
el Mercedes-Benz Fashion
Week, así como en conciertos,
eventos de danza y acciones
en la vida cotidiana.
carolinadelunafranco@gmail.
com
IG: @carolinadeluna
Ciudad de México

Dan Crosby
*Trabaja con Marie Claire, GQ,
Nylon, InStyle, Cosmopolitan,*

Haunted y *Sicky Magazine.*
hello.crosbay@gmail.com
www.dan-crosby.com
IG: @dan_crosby2
Ciudad de México

David Franco
Fundó la agencia de fotografía
comercial 13 Producciones.
Se dedica a la fotografía de
moda y publicitaria.
david@13producciones.com.mx
www.davidfranco.mx
IG: @david_franco_de_san-
tiago
Ciudad de México

David Suárez
Su fuerte son los retratos de
chicos famosos: JBalvin, Brad
Danes o Darío Yazbek Bernal.
También ha colaborado con
Sally Beauty y Mercedes-Benz.
davidsuarezn@gmail.com
IG: @davidsuarezph
Ciudad de México

Dorian Ulises López
Sus fotos llegaron hasta Italia
a través de *Vogue,* con la
serie Cuarta Transformación.
También tiene un proyecto
que reconoce la belleza
mexicana.
dorianulises@gmail.com
IG: @dorianuliseslopez

Eduardo Acierno
A su trayectoria profesional
se le suman conferencias
y exposiciones, además de
trabajos con las revistas *GQ,
i-D, Vogue México* y *USA, DNA*
y *Marie Claire.*
eduardoacierno@gmail.com
FB:
/EduardoAciernoPhotography
IG: @eduardoacierno

Eugenio Andrade Shultz
Su material incluye propuestas
visuales diferentes a las de
sus compañeros de industria:
doble exposición, *lens flare*
y *collage.*
eugenioas_@hotmail.com
www.eugenioandradeschulz.
com
IG: @eugenioaschultz
Ciudad de México

Fabiola Zamora

Es fundadora y editora en jefe de la revista *192*. Su trabajo en la fotografía se distingue por plasmar escena desde ángulos distintos. Esto la ha llevado a trabajar en *Harper's Bazaar*, *L'Officiel*, *Vogue* y *Elle*.
fabiola@revista192.com
www.fabiolazamora.com
IG: @fabiolazamora
TW: @FabiolaZamora
Ciudad de México

Felipe Hoyos

Realiza retrato, editorial, *beauty* y comercial. Ha trabajado con *Kaltblut Magazine, Sicky Magazine* y *DNA*.
felipe@felipehoyosmontoya.com
www.felipehoyosmontoya.com
IG: @felipehm_

Fernanda Piña

Ha fotografiado a Michelle Salas, Cassandra de la Vega, Mayte Rodriguez y Carol Reali. También ha colaborado con *Romina Media* y *Cream Magazine*.
hola.ferpina@gmail.com
IG: @ferpineapple.jpg
Ciudad de México

Fernando Poil

Artista enfocado en *fashion* y *beauty*. Su trabajo se puede apreciar en *Marie Claire, Pánico, Nylon* y *Cream Magazine*.
ferpoilphoto@gmail.com
IG: @photobyferpoil
Ciudad de México

Gregory Allen

Constantemente busca contrastes en sus *shootings*. Formó parte de American Next Top Model y en 2017 fue premiado por los MFDA como el mejor fotógrafo del año.
info@plasticimage.com
www.plasticimage.com
IG: @plasticimage
Ciudad de México

Gustavo García Villa

Stylist y fotógrafo que colabora en la revista *192*. Es director creativo de *L'Officiel México*.
director@dolorosa.com.mx
www.dolorosa.com.mx
IG: @gustavogarciavilla
TW: @lamasdolorosa
Ciudad de México

Iván Aguirre

De su portafolio destacan marcas como Sally Beauty, Pineda Covalín, Jorge Contreras, Fernando Rodriguez y Raquel Orozco.
www.photographer-ivanaguirre.blogspot.com
FB: /ivanfashionphoto
IG: @ivanaguirrefotografo
Ciudad de México

Ivonne Venegas

Con su formato completo y estilos diversos de toma, las colecciones de la mexicana han recorrido de manera solitaria y colectiva diversas partes del mundo.
yvonne.venegas@gmail.com
www.yvonnevenegas2.weebly.com
IG: @ivovenegas
TW: @YvonneVenegas
Ciudad de México

Izack Morales

Su trabajo editorial lo ha llevado a aparecer en *Elle, InStyle, Bad Hombre, Cake Magazine, Marie Claire* y *Sheet Magazine*.
www.izackmorales.com
IG: @izackmr
Ciudad de México

Jesús Soto Fuentes

En su recorrido profesional, ha participado en publicaciones editoriales de *Vogue Internacional, 192* y *Vulkan*.
jjsotofuentes@gmail.com
www.sotofuentes.com
IG: @jsotofuentes
Ciudad de México

Jerry Balderas

Ha dirigido y fotografiado producciones en América Latina, América del Norte y Europa. Participó en el lanzamiento de varias revistas dirigidas al sector masculino.
info@jerrybalderas.com
www.jerrybalderas.com
FB: /JerryBalderasPhotographer
IG: @jerry_balderas
Ciudad de México

Joaquín Castillo

Su corta edad no ha sido un impedimento para destacar en la industria. Desde hace un par de años ha sido publicado en *DNA, Vanity Teen* y *Vogue México*.
thejoaquincastillo@gmail.com
IG: @thejoaquincastillo
Ciudad de México

José Toscano

Tiene publicaciones en *Bad Hombre* y *Kaltblut Magazine*. En cuanto a clientes, se ha relacionado con Quarry Jeans, Wanted Model Management, New Icon Model y Uriel Santana Foto.
jose-gtp@hotmail.com
FB: /JoseToscanoFotografia
IG: @josetoscanofoto
Ciudad de México

Juan Bautizta

Se enfoca en retrato de hombres. Su trabajo se encuentra en *Vanity Teen, Carbon Copy Magazine, Yearbook Fanzine* y *MEOW*.
juanbautizta@me.com
IG: @juanbautizta
Ciudad de México

Juan Pablo Espinosa

Tiene experiencia como editor de foto en *Elle* y *L'Officiel México*. Ha colaborado con diseñadores como Lydia Lavín.
jpespinosa85@gmail.com
FB: /JPEGphoto
Ciudad de México

Kon-Kau Chuey

El espacio como parte de la fotografía tiene un papel relevante en cada una de sus tomas. Su portafolio incluye a *Neo2, MEOW, Fucking Young!* y *192*.
konkauchuey@gmail.com
www.konkauchuey.com
FB: /konkauchuey

IG: @kkchuey
TW: @kkchuey
Ciudad de México

Luis Meza

Crea contenido para el Mercedes-Benz Fashion Week México.
luisangelmea87@gmail.com
IG: @luismeafotografia
Ciudad de México

Karla Lisker

Su estilo se caracteriza por fotografías armónicas, dinámicas y con contrastes. Su trabajo aparece las portadas de *Elle* e *InStyle*.
karlalisker@gmail.com
www.karlalisker.com
IG: @Karlalisker
Ciudad de México

Manuel Zúñiga

En la mayoría de su trabajo, los rostros pasan a segundo plano; de este modo logra armonizar al modelo con el fondo. Su vocación es el cine.
manuelzuniga@live.com
IG: @manuelzuniga
Ciudad de México

Marcovich

Ha fotografiado a personalidades como Tessa Ia, Loreto Peralta, Luciana Sismondi, Bruno Bichir, Luis Gerardo Méndez y Diego Luna.
hola.marcovich@gmail.com
www.marcovich.format.com
IG: @marcovich_m
Ciudad de México

Napoleón Habeica

La inspiración de su trabajo viene del cine, el arte y la pornografía. Su estilo es romper las reglas.
FB: /napoleon.habeica
IG: napoleonhabeica
Ciudad de México

Omar Coria

Editor de *ELFES Magazine*. Su trabajo puede observarse en revistas como *Factice Magazine, Neo2, Sicky Magazine, Cosmopolitan* y *Vogue*.

info@omarcoria.com
www.omarcoria.com
IG: @omar_coria
Ciudad de México
FB: /OMARCORIA.PHOTOGRAPHER

Ramón Arana

Sus fotografías *fashion* y *beauty* han llegado a *Imirage Magazine, Mute Magazine, Elegant Magazine* y *VGXW Magazine*.
ramonarana@hotmail.com
www.ramonarana.com
IG: @ramonesmoncho
Ciudad de México

Ricardo Ramos

Un arquitecto de profesión que ahora se dedica por completo a la fotografía de moda. Ha colaborado en ediciones de *Vogue, Elle* y *L'Officiel*.
ricardoramosphoto@gmail.com
IG: @ricardoramosphoto
Guadalajara

Rodrigo Alva

Ha colaborado con las ediciones mexicanas de las revistas *Vogue, Elle* y *L'Officiel*.
rod_lvarez@outlook.es
IG: @rrodalva
Ciudad de México

Rodrigo Palma

Es fotógrafo y director creativo. Stef Knight, Tenoch Huerta, Cecilia Suárez y Gaby Espino son algunos rostros que ha captado para *Maxim* y *Marie Claire*.
rodrigo@rodrigopalmastudio.com
www.rodrigopalmastudio.com
IG: @ropalma
Ciudad de México

Santiago Ruiseñor

Fotógrafo comercial y de moda. Su trabajo figura en productos editoriales como *Elle, Harper's Bazaar* y *Marie Claire*.
santias2120@gmail.com
www.santiagoruisenor.com
IG: @santiagorui
Ciudad de México

Sergio Valenzuela

Fotógrafo editorial y diseñador gráfico. *Queta Rojas, Le Marie, Harper's Bazaar, L' Officiel, Dancassab* y *Cosmopolitan* han sido algunos de sus clientes.
sergiocvzla@hotmail.com
FB: /sergiovalenzuelaphotographer
IG: @sergio.valenzuelach
Ciudad de México

Sofía Torres

Es fotógrafa y modelo. Ha trabajado con grandes marcas y colaborado en el Mercedes-Benz Fashion Week Mexico City.
info.sofiatorres@gmail.com
www.sofiatorresfoto.com
IG: @sofiatorresfotog
Ciudad de México

Tania Diego

Sus imágenes han ocupado las páginas de *meow, Haunt Mag, Revista Freim* y *way Magazine*. También ha tenido exhibiciones dentro y fuera del país.
tania.die@gmail.com
tania.diego@unfoldemx.com
www.taniadiego.com
IG: @tania_diego
Ciudad de México

Tigre Escobar

Sus clientes incluyen a *Glamour, Harper's Bazaar, gq, Marie Claire, Esquire, InStyle, Vanidades, Neo2* y *Nylon*.
hello@tigre-escobar.com
www.tigre-escobar.com
FB: /Tigre.Escobar
IG: @tigrees
TW: @tigrescobar
Nueva York

Tony Solis

Fundador y director de *y-not* hasta el 2015. También fundó y dirigió *Pánico* y *gxxrl*. Ha colaborado con *Picnic, Nylon, Elle* y *Wad*.
tonysolis@y-notmag.com
www.hellotonysolis.com
FB: /tonysolisphoto
IG: @tonysolisyosoy
Ciudad de México

Viridiana Flores

Sus proyectos han involucrado marcas como Steve Madden y Sss. Ha realizado colaboraciones con *Marie Claire*, DNA y *Cosmopolitan*.
www.viridianaphoto.com
IG: @holaviridiana
Ciudad de México

Ximena del Valle

Fotógrafa de moda y publicidad. Su trabajo se ha publicado en *Vogue, Elle* e *InStyle*.
photo@ximenadelvalle.com
www.ximenadelvalle.com
IG: @ximenadelvalle
Ciudad de México

Estilistas

Alice Gamus

Es co-fundadora de Sisterhood Mx. Su experiencia aumenta mediante su trabajo con *Nylon, Harper's Bazaar, Vogue México, Glamour* y *Marie Claire*.
alicegamush@gmail.com
www.alicegamus.com
IG: @alicegamusstyling
Ciudad de México

Álvaro Valadez

Periodista de moda y estilista. En su trayectoria también se encuentra la promotoría de moda, consultoría y coordinación de imagen.
edna.sapi@gmail.com
IG: @laseniorita
TW: @valadezalvaro
Guadalajara

Annie Lask

Es directora creativa, estilista y editora de moda de *Grazia México*.
info@annielask.com
IG: @annielask
Ciudad de México

Beto Escamilla

Es consultor de moda en para películas y anuncios. Ha colaborado en producciones de Netflix Latinoamérica, Pineda Covalín y Sears.
www.blancopop.com
IG: @betoescamilla
Ciudad de México

Chino Castilla

Co-fundador de Outofcomfort. Es estilista para *runway* y editorial. Ha colaborado con Ocelote, *Office Magazine, Hotbook* y *Harper's Bazaar*.
raulcastilla92@gmail.com
IG: @chinocastilla
Ciudad de México

Daniel Herranz

Estilista, escritor, productor y creativo. Fundador de Colectivo Diseño Mexicano. Ha participado en plataformas como Fashion Week México. Ha formado parte de revistas como *Código y Time Out México*.
dnherranz@gmail.com
IG: @daniel_herranz
Ciudad de México

Dano Santana

Es fotógrafo y estilista. Ha colaborado en las revistas *The Guest, 192, Sicky Magazine* y *Pansy*.
santana.sotelo.daniel@gmail.com
www.danosantana.com
IG: @l_dano
Ciudad de México

Edna Pedraza

Fashion y *prop stylist*. A la par, es coordinadora en *MEOW*.
edna.sapi@gmail.com
IG: @laseniorita
TW: @la_seniorita
Ciudad de México

Gabriel Valdez Félix

Es director en *Haunted Magazine*. De igual manera es director creativo y director de *casting* con marcas como Olmos y Flores, Belen Puga, VALADEZ y Luciana Balderrama.
www.gabrielvaldez.portfoliobox.io
IG: @gabrielvaldezfelix
Ciudad de México

Gina Ortega

Estilista, consultora de imagen y creadora del blog *High On Fashion*. Define su estilo como raro y ecléctico.
www.highonfashion.com.mx
IG: @high_onfashion
TW: @high_onfashion
Ciudad de México

Gustavo García Villa

Creador de imagen. Exdirector creativo de *L'Officiel México*. Ha colaborado con Yakampot, Trista y Carolina Herrera. De igual manera, es fotógrafo y diseñador.
IG: @gustavogarciavilla
Ciudad de México

Ifigenia Martínez

Es productora de vestuario para televisión, cine y editorial. Ha laborado en producciones a cargo de YouTube, Nickelodeon, Telcel, Corona, Sears y Fedex.
ifithestylist@gmail.com
www.ifigeniamartinez.com
IG: @igithestylist
Ciudad de México

Jocelyn Corona

Es directora creativa y estilista. *Solar Magazine, L'officiel, The Guest* son algunas revistas donde se encuentra su trabajo. También colaboró con Jesús de la Garsa y AVEC.
IG: @zjcorona
Ciudad de México

Juan Carlos Plascencia

Ha colaborado con *Playboy, Vogue*, Benito Santos, Sally Beauty y Taf.
estoesjuka@gmail.com
www.jukajukajuka.com
IG: @hukahukahuka
Ciudad de México

Juan de Dios Ramírez

Fashion stylist. Se dedica a la conceptualización comercial, publicitaria y de moda.
IG: @juandediosr
TW: @JuandeDiosRV
Ciudad de México

Julia Abouchard

Estilista y consultora de estilo. También se desenvuelve como RP entre las marcas con las que ha trabajado figuran Gucci, Cartier y Maison Manila.
IG: @posh.a.bee
TW: @juliaabLe
Ciudad de México

Marco Corral

Estilista, consultor, coordinador, editor y productor de moda. Vistió a Yalitza Aparicio para la portada de *¡Hola!*. Es columnista de moda y *lifestyle*.
corralmarco@yahoo.com
www.marcocorral.com.mx
IG: @stylist_marcocorral
TW: @corralmarco
Ciudad de México

Mariangeles Reygadas

Co-fundadora de Manual. Coordinadora *fashion* en *Elle*. Fue editora de moda en *L'Officiel México*.
mariangelesreygadas@gmail.com
IG: @mariangelesra
TW: @mariangelesra
Ciudad de México

Nancy Rodriguez

Ha fungido como estilista y productora de vestuario en el ámbito publicitario. Es diseñadora de joyería; fundadora y directora creativa en Driguez Inc.
nancyvestuario@gmail.com
FB: /driguezinc
IG: @nancyglamour
Ciudad de México

Nayeli de Alba

Es una de las estilistas más reconocidas en el país. En su trayectoria aparecen marcas y revistas como Ray Ban, *192* y *DNA*. Participó en la portada de *Bad Hombre* protagonizada por Yalitza Aparicio.
IG: @smilewith_style
Ciudad de México

Olivia Meza

Es la directora y fundadora de la revista MEOW, se dedica al aspecto editorial siendo editora y periodista de moda en *QUIÉN* y Life&Stlyle.
oliviameza@live.com.mx
IG: @oliviameza
TW: @OliWanKenobi_
Ciudad de México

Pablo Villalpando

Stylist de moda y guardarropa, así como de diseño de interiores. Su portafolio incluye a Westies, Alfredo Martinez y C&A.
IG: @pablovillalpando
Guadalajara

Pamela Ocampo

Es consultora de marca. Ella fue la encargada de vestir a Yalitza Aparicio para la portada de *Vogue*. Fue editora en jefe de *L'Officiel*. Ahora, junto a Mariangeles Reygadas, lleva Manual, consultoría que trabaja con clientes como TANE y Espacio Kentro.
IG: @pamelaocampo
TW: @pamelaocampo
Ciudad de México

Paola Quintero

Es fundadora de Napoleón, una marca que readapta la vestimenta utilizada en la época del personaje histórico. Es la directora creativa y productora de Xaviera.
IG: @paolaquintero
TW: @paola_quintero
Ciudad de México

Paul Lara

Es un director creativo, estilista y productor. Su trabajo trasciende las fronteras del país, participó en *Vogue Taiwán*, *Stell Magazine* y *Lucy's Magazine*. Además ha trabajado para TANE y Caralarga.
paullara.creative@gmail.com
IG: @paullara_creative
Ciudad de México

Pol Moreno

Productora creativa y fundadora de Akami Store.
Colaboraciones con DNA y *The Artist Community*.
IG: @polmorenoo
Pinterest: polmoreno
Ciudad de México

Priscila Cano

Se centra en editorial y comercial. Entre sus clientes figuran medios como *Vogue Polonia*, *Vogue México*, *Hyper Animals* y MEOW.
priscila.cano.arrieta@gmail.com
IG: @prisscano
Ciudad de México

Rodrigo de Noriega

Editor en *Coolhunter*. Al mismo tiempo colabora con marcas y revistas como *192*, Filia y *Vanity Teen*.
tenordemesones@gmail.com
IG: @tenordemesones
Ciudad de México

Tino Portillo

Es estilista, consultor de moda y creativo independiente. Ha colaborado con Girl Ultra, Archivo Moda Mexicana y *Luis Miguel: La Serie*.
tino.carmona.portillo@gmail.com
IG: @tinoportillo
TW: @tinoportillo
Ciudad de México

Valentina Collado

Editora de moda de *Vogue México* desde 2011.
IG: @valecollado
Ciudad de México

Productores de moda

BC Producciones
Dirigida por Beatriz Calles, esta agencia se concentra en las producciones de eventos de moda, como desfiles y presentaciones independientes.
beatriz.calles@bcproducciones.mx
Ciudad de México

Magenta
Agencia especializada en producción y coordinación de eventos de moda, dirigida por Iván Nuza. Actualmente es responsable de las producciones de Mercedes-Benz Fashion Week México, Fashion fest de Liverpool y DMX32.
ivannuza@magentapm.com
IG: @Magenta_pm
Ciudad de México

Agencias de modelos

In the Park
Proyecto que resalta la belleza mexicana, la cual muchas veces difiere con los cánones de belleza aceptados internacionalmente en esta industria.
hello@intheparkmanagment.com
www.intheparkmanagement.com
FB: /intheparkproductions
IG: @intheparkmanagement
Ciudad México

Güerxs
Propone perfiles diversos que son más cercanos a la cotidianeidad mexicana y, de esta manera, modificar las representaciones en este ámbito de la moda.
guerxs.casting@gmail.com
IG: @guerxs
Ciudad de México

Capital Model
Se enfoca en talentos nuevos para impulsar su potencial. Tienen proyecciones nacionales e internacionales.
contacto@capitalmodel.net
www.capitalmm.net
IG: @capitalmodel
Guadalajara

MM Runway
Agencia que trabaja con modelos *kids, petit, seniors* y *teens*. Tiene las categorías *advertising, editorial, commercial* y *runway*.
info@mmrunway.mx
www.mmrunway.mx
IG: @mmrunway
FB: /MmRunway
Ciudad de México y Guadalajara

New Icon
Se autodefine como una agencia sin estereotipos. Sus modelos tienen rasgos variados. Tienen asociaciones con agencias de Milán, Nueva York y Londres.
www.newicon.com.mx
FB: /newiconmodels
IG: @newiconmodels
TW: @newiconmodels
Ciudad de México

GH
Agencia boutique de modelos en México. Representa a agencias hombres y mujeres mexicanos y extranjeros.
52070329
info@ghmanagement.mx
www.ghmanagement.mx
IG: @ghmanagement
TW: @ghmanagement
Ciudad de México

Contempo
Fundada en 1989 por el reconocido modelo y *booker* Óscar Madrazo, Contempo es una de las agencias con mayor experiencia en México.
management@contempomodels.com
www.contempomodels.com
FB: /ContempoModels
IG: @contempomodels

TW: @ContempoModels
Ciudad de México

Queta Rojas
Agencia con quince años de trayectoria, cuenta con modelos hombres y mujeres de todas las categorías de edad.
contacto@quetarojas.com
www.quetarojas.com
FB: /quetarojasmodelos
IG: @quetarojas
TW: @quetarojas
Ciudad de México

Wanted
Nace en 2010 para modelos mujeres nuevas en la industria. Con enfoques únicos y personalizados para cada una. Cuenta con cincuenta *top models*.
info@wantedmodelmanagement.com
www.wantedmodelmanagement.com
FB: /WANTEDmodelmanagement
IG: @wanted_models
TW: @WANTED_models
Ciudad de México

Paragon
Aceptan modelos con todos los perfiles, potencializan el talento de las modelos a nivel nacional e internacional. Han aparecido en portadas de *Vogue, Elle* y *Harper's Bazaar*.
www.paragonmodelmanagement.com
FB: /ParagonModelManagement
IG: @paragonmodelm
Ciudad de México

ET
Agencia y escuela de modelaje, se enfocan a fomentar en sus modelos los valores dentro de esta industria.
Se enfocan en *runway*, editorial y eventos.
contacto@etmodelos.com
www.etmodelos.com
FB: /etModelos
IG: @et_model_management
Guadalajara

Blink

Brindan una oportunidad de estar en la industria sin tomar en cuenta estereotipos. Sus modelos han participado en *runways* para Giannina Azaar, Julia y Renata y Milton Calatayud.
blinkmodelm@gmail.com
FB: /BlinkModelManagement
IG: @blinkmodelm
Guadalajara

Cover

Esta agencia fue fundada por dos modelos con larga experiencia. También se encuentra en Europa y Latinoamérica.
www.iamincover.com
FB: /iamincover
IG: @iamincover
TW: @iamincover
Guadalajara

Prisma Models

Además de agencia, es una escuela de modelaje. Fortalece la formación con la enseñanza con actividades artísticas. Especialistas en *runway* y alta costura.
www.prismamodels.com
IG: @prismamodels
Guadalajara

Rafael Zúñiga Modelos

Fundada por Rafael Zúñiga, directos de los desfiles de El Palacio de Hierro, coordinador de Trends Monterrey y coordinador de eventos para Catwalk.
www.rafaelzuñigamodels.com
FB: /RafaelZunigaModelos
IG: @rafaelzunigamodelos
TW: @R_Z_MODELOS
Monterrey

Maquillistas / hair stylist

Adrián Glez

Es *makeup artist* y *hair stylist*. Talento mexicano que ha colaborado para *i-D*, *Vogue*, *L'Officiel* y *DNA*.
adrianglezcarmona@gmail.com
IG: @adrianglezc / @_cutzzz
TW: @sunshinemkup
Ciudad de México

Alana Melina

Domina la colorimetría. Trabaja para editorial, *books*, sesiones fotográficas y diversos eventos. Su trabajo aparece en *DNA*, *Vogue* y *Land*.
contacto@alanamelina.com
www.alanamelina.com
FB: /AlanaMelina.Maquillaje
IG: @alanamelina
Ciudad de México

Alejandra Ascencio

Makeup artist. Ha colaborado para marcas y publicaciones como *L'Officiel*, *Y-NOT*, *DOUX Magazine*, Benito Santos y Carlos Pineda.
IG: @byalejandraascencio
Guadalajara

Alejandro Campos

Experto en maquillaje. Sus colaboraciones incluyen marcas como H&M, Kris Goyri, así como Julia y Renata. De igual manera, se publica en *Cosmopolitan*, *Vanidades* y The Feathered.
alejandrocampozg@gmail.com
IG: @alejandro_camposg
Guadalajara
y Ciudad de México

Ana G de V

Su maquillaje protagoniza las portadas de *Elle*, *Marie Claire* y *Grazia*. Además ha colaborado con H&M, Netflix, *ASOS*, Palacio de Hierro y con modelos y celebridades nacionales e internacionales.
anagdev24@gmail.com
www.anagdevmakeupartist.com
FB: /anagutierrezdevelazco
IG: @anagdev
Ciudad de México

Aracely Zárate

Makeup artist en el *INBA*. Ha maquillado a artistas como Greta Elizondo y Agustina Galizzi. En cuanto a editorial ha participado en *Glamour* y *Elle*.
aracelizarate_mkup@outlook.com
FB: /aracelyzaratemkup
IG: @aracelyzaratemkup / @kissthebridemkup
Ciudad de México

Atenea Téllez

Makeup artist y *hair stylist*. Trabaja con actrices del cine y la televisión mexicana. Colaboró en *Mexico's Next Top Model*. Participó en *Roma* de Alfonso Cuarón.
IG: @atenea_tellez
Ciudad de México

Beatriz Cisneros

Key Artist para *MAC* Cosmetics. Maquilla a cantantes y actrices como Martha Higareda, Cecilia Suárez, Hanna Nicole y Ashley Grace. Fundadora de Creative Academy.
redes@beatrizcisneros.com
FB: /beatrizcisnerosmaquillista
IG: @beatrizcisneros
Ciudad de México

Carlos Arriola

Hair stylist editorial para *L'Officiel*, *In Style*, *192*, *La Gaceta Palacio de Hierro*, *Vogue* y *GQ*.
caryvr@live.com
IG: @carlosarriolahair
Ciudad de México

Emilio Becerril

Make up artist que colabora con Maison Margiela, *Elle*, *Cosmopolitan* y Sears. También realiza *body painting*.
emiliobg@gmail.com
IG: @emmimua
Ciudad de México

Georgina Prieto

Perteneciente a la industria del maquillaje, el *hair styling* y la publicidad. También es diseñadora de joyería, fundadora de *AVEC*.
prietogeorgina@gmail.com
IG: @geoprieto
Ciudad de México

Gio Lozano

Se desempeña en el *makeup styling*. Colabora con *Vanidades, The Artist Community, L´Officiel* y *Grazia*. Representado por Regal Management Group.
IG: @giolozano_mua
Ciudad de México

Gustavo Bortolotti

Uno de los maquillistas más reconocidos de México. Ha trabajado para *Grazia, Cosmopolitan, PaperCity* y *Elle*.
truccobortolotti@gmail.com
IG: @gusbortolotti
Ciudad de México

Herrerías Olvido

Hair stylist. Colabora para *MEOW* y *DNA* con marcas como GAP, Nike y Tommy Hilfiger.
olviluxury@hotmail.com
IG: @herrerias_olcido_
Ciudad de México

Isra Quiroz

Hair stylist y *makeup artist*. Se enfoca a celebridades. Ha colaborado con Postland, *Imirage Magazine, GQ México* y *Elle*.
israquir@gmail.com
FB: /IsraelQuirozHairMakeupArtist
IG: @israquiroz
TW: @sraelquiroz
Ciudad de México

Jesús Palencia

Trashi, Fashion Week y Mariam Habach Santucci son solo algunas personas y eventos con las que este maquillista ha trabajado.
IG: @byjepalenci
TW: @japalenci
Ciudad de México

Juan Peralta

Trabaja en *FLESH*. Ha colaborado para *TANE, PaperCity* y *The Artist Community*.
IG: @juan peraltamakeup
Ciudad de México

Karla Donato

También conocida como Roho, es una maquillista que tiene experiencia en editorial, *runway*, comercial y social. Entre sus colaboraciones se encuentra la cantante Girl Ultra y la revista *Coolhunter*. A la par se dedica al diseño de uñas.
roho.771991@gmail.com
www.roho771991.wixsite.com/karladonatomua
FB: /KarlaDonatoMUA
IG: @roho7
Ciudad de México

Karla Vega

National Artist para MAC Cosmetics. Se especializa en maquillaje para *fashion shows*. Su trabajo ha llegado a desfiles internacionales como Milán. Pineda Covalín y Mercedes-Benz Fashion Week Mexico City son algunas marcas con las que ha colaborado.
karlivega77@hotmail.com
IG: @karlyvega77
Ciudad de México

Luis Gil

Su trayectoria como maquillista y *hair stylist* lo han llevado a trabajar con *Cosmopolitan*, Raquel Orozco, *Harper's Bazaar, Marie Claire, Vanidades* y No Name Studio.
luisgil@live.com.mx
IG: @luisgilq
Ciudad de México

Maripili Senderos

Makeup artist. Su experiencia incluye colaboraciones con El Palacio de Hierro, *Elle, Vogue, 192* y *Grazia*.
www.maripilisenderos.wordpress.com
IG: @maripili7
Ciudad de México

Mónica Sescosse

Maquillista y estilista de cabello que se desenvuelve en cine, comerciales y la industria de la moda.
IG: @monicasescosse
TW: @monisescosse
Ciudad de México

Neiza Hernández

Es maquillista, bloguero de moda y modelo. Ha participado en editoriales para revistas como *Yoko, L'Affaire* («Nothing in Common»), *Some Magazine* y *Volant Magazine*.
nhmakeupstudio@gmail.com
www.neiza05.blogspot.com
FB: /neiza05
IG: @neiza05
TW: @Neiza05
Ciudad de México

Ossiel Ramos

Maquillista representado por Walter Scupfer Management. Tiene colaboraciones frecuentes con *Vogue, Elle* y *L'Officiel*. Ha sido parte de la Fashion Week de Europa.
www.ossielramos.format.com
FB: /ossiel.ramos
IG: @ossielramosabarca
TW: @ossielramosa
Ciudad de México

Stephanie Sznicer

Makeup artist que ha colaborado con *192, Cosmopolitan, Cream Magazine, QUIÉN* y Pantene.
www.stephaniesznicer.com
FB: /stephaniesznicerpage
IG: @stephaniesznicer
Ciudad de México